HECHOS PARA MÁS

Curtis Martin

Traducido por
Vilma G. Estenger Ph.D.

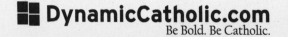

DynamicCatholic.com
Be Bold. Be Catholic.

Nihil obstat: Sr. Francis X. Maier
　　　　　　　Censor Deputatus

Imprimatur: Reverendísimo Charles J. Chaput, O.F.M. Cap.
　　　　　　　Arzobispo de Denver
　　　　　　　Julio 22, 2008

Publicado por Beacon Publishing

Para más información sobre este título y sobre otros libros y CDs disponibles a través del Dynamic Catholic Book Program / Programa de Libros de Católico Dinámico, por favor, visiten:
DynamicCatholic.com

Impreso en los Estados Unidos de América
ISBN 978-1-937509-65-1

If there are any questions about the author's meaning, particularly of a theological nature, please consult the original English language edition.

CONTENIDO

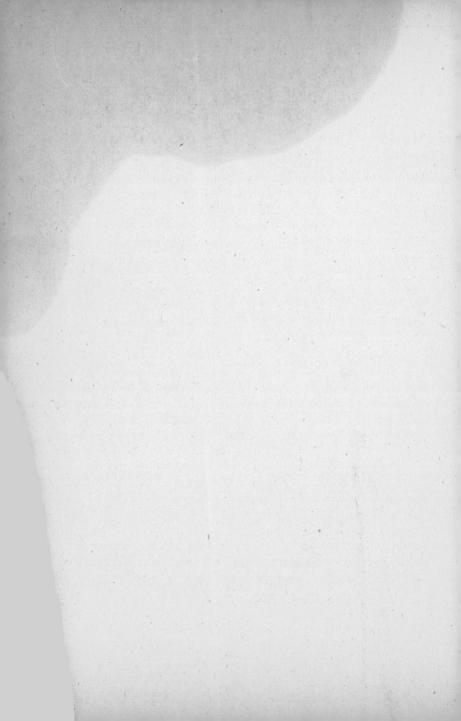

INTRODUCCIÓN

Aún no he encontrado lo que busco.

– U2

No hace mucho tiempo, me pidieron que ofreciera una conferencia sobre Etica en la Universidad de Colorado. La pregunta en cuestión era, "¿Es ético comprar en línea un trabajo escrito requerido al finalizar el trimestre?" A primera vista, la pregunta parece algo tonta; pero como con muchas preguntas de esa clase, si se profundiza un poco, puede ser que haya algo más significativo esperando ser descubierto.

Empecé la presentación con una suposición. "Pienso que la mayoría de nosotros estaría de acuerdo con que si compráramos *todos* nuestros trabajos escritos en línea, sería inmoral o poco ético. Pero miremos el caso. Imaginen que nunca han comprado un trabajo escrito, nunca han hecho trampa en un examen, y están a pocas semanas de graduarse. Es justo antes del examen final, y tienen que entregar los trabajos. Tres trabajos importantes tienen que ser entregados la misma semana. Alguna circunstancia inesperada surge y, a pesar de sus mejores esfuerzos, solamente pueden terminar dos de los tres trabajos. Si no entregan el tercer trabajo, los suspenderán y si los suspenden no podrán graduarse. Entonces, ¿qué? ¿Estaría bien comprar el trabajo en línea?"

Les di unos minutos para que pensaran sobre la cuestión. Nadie habló.

"Déjenme preguntarles esto. '¿Por qué *querrían* comprar el trabajo?'"

Esperé por una respuesta. Después de unos momentos, un alma valiente habló: "Porque quiero aprobar la clase".

Yo contesté, "Esa es una razón muy buena. ¿Por qué quieres aprobar el curso?"

Otra pausa y, entonces, otro dijo, "Porque quiero graduarme".

Yo respondí, "Esa es una motivación realmente buena. Graduarse de la Universidad es una meta noble. Y ¿por qué quieres graduarte?"

Una tercera voz se alzó. "Porque un título universitario es una parte importante de un historial personal sólido".

"Un historial personal sólido parece una cosa buena. ¿Por qué quieres uno?"

"Porque quiero conseguir un buen trabajo".

"¡Magnífico! Un buen trabajo es realmente una buena cosa. Por qué quieres un trabajo?"

"Porque quiero hacer mucho dinero".

Hubo algunas risitas entre el público, pero yo seguí adelante y los alenté: "El dinero es realmente una buena cosa. ¿Por qué quieres mucho dinero?"

"Porque quiero comprar cosas buenas".

"Me parece bien. Pero, ¿por qué quieres cosas buenas?"

"Porque quiero ser feliz".

Yo sonreí y esperé unos segundos. Esta respuesta era un poco diferente a las otras. Cada una de las respuestas anteriores se refirió a un medio hacia un fin, una manera de obtener algo mejor. La felicidad es diferente; es la *razón* por la cual actuamos. Si lo piensan, casi siempre la felicidad es aquello por lo que hacemos lo que hacemos. *Queremos* ser felices; es como si hubiéramos sido hechos para la felicidad.

Retrocedí y revisé con los estudiantes las respuestas que habíamos recogido. Habíamos dado una serie de pasos que llevaban a la felicidad. Pero ¿fue cada uno de estos pasos realmente el mejor camino para alcanzar la felicidad? Aprobar una clase, graduarse, crear un historial personal, conseguir un trabajo, hacer dinero, adquirir cosas, todo parece ser bueno en sí. Pero y ¿qué sobre nuestro primer paso? Pareció que engañar, hacer trampa, había sido el primer paso hacia la felicidad, pero ¿había sido realmente un paso en la dirección correcta? Engañar, hacer trampa, ¿*lleva* a la felicidad? No, tener que verme en el espejo y admitir que soy un tramposo no me hace feliz.

Si convertirse en un tramposo no es la fuente de la verdadera felicidad, entonces no es ético comprar un trabajo escrito, porque la ética se trata de hacer lo correcto para que podamos cultivar la felicidad auténtica. La ética y la moralidad no están supuestas a ser reglas para mantenernos en línea solamente; son guías para llevarnos hacia la felicidad.

¿Qué puede ser mejor que la felicidad duradera? Juzgando según nuestra conducta, nada. Es por eso que todas nuestras decisiones – incluyendo las malas – en última instancia están dirigidas a obtener la felicidad. Algunas personas no creen esto, pero es verdad. No podemos *no* desear nuestra propia felicidad. Solamente podemos escoger maneras correctas o equivocadas para obtenerla. Muchas de nuestras decisiones solamente traen una felicidad temporal o fugaz, algunas veces a costa de nuestra felicidad suprema. Y solamente una cosa es mejor que la felicidad duradera: la felicidad eterna.

Pero, ¿existe la felicidad eterna? ¿Podría ser que la felicidad que experimentamos en este mundo no es el evento principal sino meramente un anticipo de algo más? Supongan que el propósito principal de este mundo es prepararnos para la felicidad eterna. Si somos criaturas hechas para otro mundo, eso explicaría por qué parece que ansiamos mucho más que lo que este mundo ofrece. Pero esto da lugar a una pregunta posible: ¿Y qué si uno muere y encuentra que ciertamente había un cielo pero que no vamos a él? ¡Hablando de fallos cósmicos! Ninguna cantidad de éxito terrenal puede contrapesar el fallo de ganar la vida eterna. Si hay un cielo, ¿qué cosa terrenal estarían dispuestos a intercambiar para obtener este premio eterno?

Una Buena Reflexión

Pienso que vale la pena pensar por unos minutos para considerar cómo podría ser la vida eterna. Imaginen, por favor, que se mueren hoy y se encuentran ante las puertas del cielo. ¡En un pestañear, el gran misterio de si hay vida después de la muerte ya no existe! Sí, efectivamente, hay un cielo, y está justo al otro lado de esas puertas. Todo lo que importa ahora es si están adentro o afuera. Para su felicidad eterna, ¡son invitados a entrar!

Las Puertas del Paraíso se abren, y entran a una sala de banquetes impresionante, tan majestuosa y espaciosa como las Montaña Rocosas, tan bella como el Louvre, y tan acogedora como la cocina de su abuela. Al llegar, la única respuesta apropiada es derramar lágrimas de una alegría inimaginable. La alegría de su experiencia es más que la de una nueva madre cuando le dan a su bebé por primera vez en la sala de partos, o la de un padre al ver a su hija en su vestido de novia, o la de un atleta cuando su equipo finalmente ha ganado un campeonato después de años de lucha. La belleza del lugar satisface cada fibra de su ser.

El cielo está lleno de millones y millones de personas disfrutando su vida (eterna); sin embargo, de alguna manera nunca se siente aglomerado o congestionado. Para su gran alegría, están reunidos con sus familiares y amigos que se fueron antes que ustedes. Aunque tienen mucho que decirse, no hay prisa – tienen toda la eternidad. Se dan cuenta de que nada maravilloso que experimentaron en la Tierra ni siquiera se acerca a la intensidad de este nuevo gozo – un gozo que ustedes saben no terminará jamás.

Suspiran con satisfacción. No una satisfacción temporal. Una satisfacción *permanente*. No sólo la satisfacción de que "se acabaron todos mis problemas", sino la satisfacción de que *se acabaron todos los problemas*. Este es literalmente el mejor día de su vida. Seguro, puede ser que no haya empezado tan bien – muriendo y todo – pero ¡hablen de aterrizar en sus pies!

De repente, las luces parpadean un par de veces para indicar que es hora de sentarse para el banquete celestial. Ustedes miran a su alrededor rápidamente, no sabiendo exactamente qué hacer – después de todo, es su primer día. Finalmente, ven una sola silla vacía en una mesa cercana. Una hermosa chapa está situada cerca del plato, y tiene su nombre, así que se sientan con toda tranquilidad. El mantel blanco parece resplandecer.

Todos están envueltos en una viva conversación. Ustedes quieren intervenir en una de las discusiones, de modo que se vuelven al hombre sentado a su izquierda, pero está hablando con alguien a su otro lado. La mujer a su derecha también está ocupada hablando con alguien. Entonces notan a un caballero de apariencia robusta sentado directamente frente a ustedes, y él no está hablando con nadie. Discretamente lo saludan con la mano para llamar su atención, "Hola, es mi primer día aquí, ¿Quién es usted?" El sonríe y responde, "Soy el Obispo Ignacio". Ustedes piensan, ¡Ah! ¡Mi primer día, y estoy hablando con un obispo!".

En ese momento, la persona a su lado dice, "El obispo está siendo humilde. En realidad él es *San* Ignacio de Antioquía, uno de los Padres de la Iglesia de los primeros tiempos". Uno trata de no quedarse con la boca abierta, pero esto es bastante asombroso: no sólo un obispo, ¡sino un santo! ¿Cuáles son las probabilidades? Entonces piensan, ¡Un momento! ¡Este es el cielo! *¡Aquí todos son santos!*

Mientras meditan sobre esto, notan que sus nuevos amigos parecen estar esperando que ustedes digan algo. Su mente corre. ¿Qué debo decirle a alguien como éste? Pausan por un momento, y entonces espetan lo primero que les viene a la mente. "Así que… Obispo, ¿puede contarme un poco sobre usted?"

San Ignacio los mira pensativo por un momento, sonríe, y comienza. "Tuve una vida bendecida. Ustedes saben que al final de la vida de Jesús, después de Su muerte y de Su resurrección, El les enseñó a Sus discípulos durante cuarenta días. En Su último día en la Tierra, el Jueves de la Ascensión, El los comisionó, diciendo:

> Me ha sido dada toda autoridad en el Cielo y en la Tierra. Vayan, pues, y hagan que todos los pueblos sean mis discípulos. Bautícenlos en el Nombre del Padre y del Hijo y del Espíritu Santo, y enséñenles a cumplir todo lo que yo les he encomendado a ustedes. Yo estoy con ustedes todos los días hasta el fin de la historia. (Mt 28:18-20)

"Justo después de haber dicho estas palabras, Jesús fue llevado al Cielo. Los discípulos que estaban allí tomaron a Jesús en serio y salieron e hicieron exactamente lo que El había dicho. Uno de esos discípulos era el apóstol Juan, y yo fui uno de los discípulos que él hizo".

Se incorporan sobresaltados. ¡Este individuo es más viejo que lo que su cuerpo glorificado lleno de juventud lo hace parecer!

¡¿Usted conoció a San Juan el apóstol?!"

El obispo sonríe. "¿Si lo conocí? Sí". Ignacio permanece en silencio por un momento para ordenar sus pensamientos. Después prosigue, la vida de San Juan fue asombrosa. El había sido transformado completamente por el Salvador. Su relación con nuestro Señor resucitado lo había cambiado todo en su vida. Recuerdo cuando fue exiliado a la isla de Patmos. El recuerdo es tan claro para mí como el día en que fui hecho obispo de Antioquía, donde los seguidores de Jesús fueron llamados cristianos por primera vez".

Ignacio continúa hablándonos sobre cómo la Iglesia creció y cuántas vidas más fueron cambiadas por su encuentro con Jesús resucitado. El recuerda la eventual persecución que surgió y cómo los romanos lo arrestaron y lo llevaron encadenado a través del Asia Menor y Europa de regreso a Roma, donde fue enjuiciado por crímenes en contra del estado y por promover esta nueva religión.

En este punto, un joven sentado cerca de Ignacio intercala. "¡Yo recuerdo las cartas que usted escribió!" El joven se vuelve a ustedes y explica que, mientras Ignacio marchaba custodiado desde Antioquía (hoy día Turquía) hasta Roma, escribió cartas a las iglesias jóvenes alentándolas a permanecer fuertes en la fe y pidiéndoles que no trataran de prevenirlo de enfrentar la muerte. El joven cierra los ojos y le recita a Ignacio sus palabras de memoria:

> Encarezco a todos, que estoy muriendo deseosamente por Dios, si tan sólo ustedes no lo previenen. Les ruego, no tengan una bondad inoportuna hacia mé. Permítanme ser devorado por las bestias, lo cual es mi manera de alcanzar a Dios. Yo soy el trigo de Dios, y he de ser triturado por los dientes de las bestias salvajes, para que me convierta en el pan puro de Cristo. (*Carta a los Romanos*, 4)

El abre los ojos y mira a Ignacio. "Es la carta que le escribió a los cristianos en Roma", añade. "¡Nunca he olvidado esas palabras desde el día en que esa carta me fue leída por primera vez! ¡Siempre he querido darle las gracias por su valor!".

Ignacio es callado y amable, piensan ustedes. *No parece estar especialmente interesado en sí mismo.* Entre tanto, ustedes empiezan a darse cuenta de cuán extraños y maravillosos son sus compañeros. Después de una pausa, ustedes preguntan, "Y ¿qué pasó?".

Ignacio dice simplemente, "Ellos me llevaron a juicio, y me encontraron culpable de ser un cristiano, y me arrojaron a las bestias salvajes para que me devoraran… He estado aquí desde entonces. Se lo debo todo a Dios".

Hay una larga pausa, y después San Ignacio de Antioquía se vuelve a ustedes y dice, "Así que, por favor, cuéntenme su historia…".

Es asombroso cómo la eternidad afecta su perspectiva. Ustedes no están seguros de qué dirían sobre su vida, pero dirán algo así:

"¡Ah! Si hubiera sabido cuando era joven lo que puedo saber ahora tan claramente: que el Cielo no está desconectado de la Tierra. Mi vida me fue dada como un regalo – ¡una dramática aventura! Con demasiada frecuencia, ignoré la realidad del Cielo y viví en la Tierra como si las cosas del mundo fueran todo lo que importaba. Pero el Cielo tiene una manera peculiar de ponerlo todo en su propia perspectiva. Aquí en el Cielo, estamos rodeados de personas que dejaron a Dios vivir en ellos y por medio de ellos. ¡En su vida dieron gloria a Dios, y ahora, Su vida en nosotros es la causa de nuestra alegría y la gloria de Dios mismo!".

¡Sí!" intercala un hombre calvo sentado al otro lado de la mesa, a unas cuatro sillas de distancia, quien, en su entusiasmo, derrama un vaso de vino. Es San Buenaventura. El exclama, "¡El mundo fue hecho para la gloria de Dios, no para aumentar su gloria, sino para mostrarla y comunicarla! Las criaturas existieron cuando la llave del amor abrió su mano"[1].

Entonces desde unos asientos más allá, el profesor de Oxford y autor cristiano C.S. Lewis, escuchando nuestra conversación, levanta su vaso y exclama, "Es como siempre he dicho, 'Si el Cielo y el infierno existen, nada más importa; si el Cielo y el infierno no existen, entonces nada importa'". Por supuesto, antes de llegar al

---

[1] San Buenaventura, *En II Sent.* I,2,2,1.; Sto. Tomás de Aquino, Sent. 2, Prol.; ver *Catecismo de la Iglesia Católica*, 293

Cielo y encontrar la realización de las ansiedades más profundas de nuestro corazón, es tan sólo razonable preguntar, "¿Hay un Dios? ¿Hay realmente un Cielo?".

Solamente hay dos respuestas posibles a estas preguntas: sí o no. Podemos vivir como si el Cielo y el infierno no existen, o podemos vivir como si sí existen. Mas si no estamos muy convencidos, tiene mucho más sentido vivir como si existen. Piensen en lo que está en riesgo. Si escogemos vivir como si hay un Cielo y un infierno y estamos equivocados, no hemos perdido nada – en el momento de la muerte, se apagan las luces. Pero, si escogemos vivir como si no hay un Cielo o un infierno y estamos equivocados, un día podemos encontrarnos en el principio de nuestro destino eterno tan sólo para darnos cuenta demasiado tarde de que, no buscando el Cielo, lo hemos perdido para siempre. Como dijo el autor Albert Camus: "Prefiero vivir mi vida como si hay un Dios y morir para encontrar que no lo hay, que vivir mi vida como si no lo hay y morir para encontrar que sí lo hay".

El resto de este libro está dedicado a examinar la evidencia convincente que Dios nos ha dado de que El, efectivamente, existe y de que hay un Cielo. Esta evidencia no es una teoría o un argumento legal: es una persona. Si queremos examinar la evidencia para el Cielo, el mejor lugar para empezar es con la persona histórica conocida como Jesús de Nazaret. En Su vida, en Sus enseñanzas, en Su muerte y en Su resurrección, El nos muestra que hemos sido creados para vivir una vida de grandeza aquí en la Tierra y para vivir en una felicidad perdurable mientras le damos gloria a El para siempre. Si lo dejamos, El nos ayudará a descubrir la historia real de la aventura de nuestra vida – que hemos sido hechos para más– porque Su revelación es el drama de la selección del alma.

CAPITULO 1

¿QUIÉN DICEN *USTEDES* QUE SOY YO?

Por un momento, olviden lo que saben – o piensan que saben – sobre religión en general y cristianismo en particular. Miremos imparcialmente la vida de Jesús de Nazaret y empecemos con un simple hecho: A través de todo el mundo y de toda la historia, sería difícil encontrar un individuo cuya vida haya tenido un impacto mayor que la de Jesús. Uno no necesita ser cristiano para decir esto. H.H. Wells, no un admirador particular del cristianismo, escribió:

> Soy un historiador, no soy un creyente, pero tengo que confesar como historiador que este pobre predicador de Nazaret es irrevocablemente el mismo centro de la historia. Jesucristo es fácilmente la figura más dominante de toda la historia.

El impacto de Jesús es asombroso, recordando que vivió hace 2,000 años en un lugar atrasado del Imperio Romano y nunca viajó lejos de su casa (excepto cuando vivió en Egipto, por un corto tiempo, de niño). Nunca ocupó una oficina política, nunca escribió un libro, nunca inventó algo, nunca descubrió algo, nunca encabezó un ejército en combate y nunca amasó una gran riqueza. En realidad, nunca hizo ninguna de las cosas que son típicamente consideradas "históricas".

Conocemos casi nada sobre el noventa por ciento de sus breves treinta y tres años en la Tierra, y durante los tres cortos años de su labor pública, pasó mucha parte de su tiempo en villas fuera del camino más bien que en la ciudad de influencia de la región, Jerusalén. La evidencia indica que parecía evitar la publicidad, aún ordenando a sus seguidores que no le contaran a nadie sobre los milagros extraordinarios que decían haber realizado. En efecto, el acto por el cual El es más recordado – y la cosa a la que los testigos de su vida dedican más tinta en sus documentos sobre El – es que, según todos los estándares convencionales, murió como un fracaso espectacular, rechazado por las mismas personas que buscó, en una forma particularmente grotesca y vergonzosa, reservada para la más baja escoria de la sociedad. Parecía ser un fracaso tal, que su cuerpo tuvo que ser colocado en la tumba de otra persona.

¿Cómo es, pues, que Jesús se ha convertido en la persona más influyente de la historia del mundo? No sólo lo siguen los cristianos como su salvador, sino que otras religiones lo consideran un hombre santo. Las culturas y las tradiciones religiosas han sido impactadas profundamente por la civilización que propagó su nombre en todo el mundo. Aún personas que no tienen una fe religiosa han sido influidas profundamente por él; tanto que, en el Occidente, ser ateo significa principalmente no creer en Jesús. No es en Zeus, Quetzacoatl, o Moloch que un típico ateo occidental se afana por no creer.

Hasta el calendario que la mayor parte del mundo usa hoy día, registra el tiempo desde el nacimiento de Jesús de Nazaret. "D.C." es una abreviatura de *in anno Domini*, en latín, que significa "en el año de nuestro Señor".

Así que, ¿qué separa a este hombre de billones de otros que han vivido en la Tierra? Muchas personas han vivido vidas más largas, y muchas parecen haber logrado cosas mucho más grandes. ¿Por qué un hombre que murió en la flor de su vida – desnudo, pobre, avergonzado, virtualmente solo, y en gran agonía – habría de convertirse en el punto focal de la historia?

Paradójicamente, es precisamente en este momento de aparente fracaso – la vergonzosa muerte de Jesús – que podemos empezar a tratar de desentrañar el misterio. ¿Por qué un hombre que "pasó haciendo el bien y sanando a los oprimidos" (Hechos 10:38), habría de ser rechazado, torturado, y asesinado? ¿Qué hizo Jesús, exactamente, para ganar tal destino?

Los documentos del período más cercano a El lo describen como "una señal de contradicción" (Lc 2:34). A primera vista, Jesús puede parecer ser como otras figuras religiosas, predicando el amor al prójimo; recordándonos las cosas permanentes que todos los profetas, poetas, y narradores nos han llamado a contemplar; y urgiendo a las personas a volverse a Dios y a amarse mutuamente.

Mas algo separa a Jesús de los otros. El mensaje principal de Jesús no es un llamado a la perfección moral, aunque eso es un elemento de sus enseñanzas. No, el mensaje principal de Jesús es *Jesús*. Otros líderes religiosos como Moisés, Buda, Mahoma, y Confucio tuvieron un mensaje sobre Dios o sobre vivir correctamente para sus seguidores. Pero lo más que tuvieron que decir sobre sí mismos fue que eran maestros de la verdad y del camino correcto o un profeta de Dios.

Jesús se aparta de todos los líderes religiosos del mundo haciendo una afirmación más radical y única. El afirma no ser un mensajero sino ser el Mensaje. En breve, la cuestión es su identidad.

De modo que ¿quién *es* El? Esa pregunta – quizás la pregunta más provocativa de la historia de toda la raza humana – es una que El mismo le hizo a sus seguidores: "Según el parecer de la gente, ¿quién es este Hijo del Hombre?" (Mt 16:13).

Las respuestas de sus seguidores fueron varias: Algunas personas dijeron Juan el Bautista, y otros Jeremías o uno de los profetas. Y, al igual que sus seguidores, podemos ser tentados a dejar la pregunta en el terreno de la opinión pública - ¿qué piensan los demás? Pero Jesús no nos dejará permanecer en lo abstracto. El requiere de cada uno de nosotros la misma cosa que exigió de los apóstoles: tomar una decisión personal. "¿Quién dicen *ustedes* que soy yo?"

Su respuesta a esta pregunta puede envolver alguna profunda consideración, pero las respuestas posibles son sorprendentemente limitadas.

Miremos algunos intentos no-cristianos para explicar a Jesús.

¿Un Maestro Moral Como Ningún Otro?

Un intento muy popular para explicar a Jesús es verlo como un gran sabio. Bueno, de seguro El es un hombre sabio en una larga tradición de hombres sabios. Muchas figuras religiosas de la historia trasmitieron refranes sabios, hicieron el bien, proclamaron la justicia. Diferente a las suyas, las enseñanzas de Jesús poseen una claridad y una cualidad curiosamente contraintuitiva que habla de alguien que operó en un nivel radicalmente distinto. El era rápido en los debates, pero mucho más que conciso y vigoroso. Pensaba profundamente y, lo que es más importante, vivía profundamente.

Hasta los que no creen en Jesús encuentran que sus enseñanzas son convincentes. Por ejemplo, el gran científico Albert Einstein dijo:

> De niño, recibí instrucción en la Biblia y en el Talmud. del Nazareno ... Nadie puede leer los Evangelios sin sentir la presencia real de Jesús. Su personalidad palpita en cada palabra. No mito está lleno con tal vida.[2]

Y sin embargo, por todo eso, perdemos el punto casi enteramente si lo tratamos simplemente con un hombre sabio. ¿Por qué? Porque

---

[2] *"What Life Means to Einstein: An interview by George Sylvester Vyereck,"* / *"Lo que la Vida Significa para Einstein: Una Entrevista por George Sylvester Vyereck"* The Saturday Evening Post, October 29, 1926.

una y otra vez Jesús está registrado haciendo afirmaciones que no simple hombre sabio hizo jamás.

Jesús Perdona los Pecados

Justamente en uno de muchos incidentes símilares, le llevan un paralítico a Jesús y, cuando El ve la fe de los compañeros del hombre, le dice al hombre, "Tus pecados quedan perdonados" (vean Mt 9:2-7). Las personas están escandalizadas. Preguntan "¿Quién puede perdonar los pecados sino Dios?" Entonces Jesús pregunta, "¿Qué es más fácil: decir 'Quedan Perdonados tus pecados' o 'Levántate y anda?' Sepan, pues, que el Hijo del Hombre tiene autoridad en la Tierra para perdonar pecados. Entonces dijo al paralítico: 'Levántate, toma tu camilla y vete a casa'" Al levantarse el hombre por primera vez, su cuerpo restaurado dio un testimonio físico del perdón que Jesús había concedido.

Dos mil años de tomar la revelación cristiana por hecho, puede entorpecer nuestro aprecio de lo que quiere decir el acto de Jesús de perdonar los pecados de un hombre. Jesús no está diciendo "lo bueno es bueno". Ni está tratando de hacer que una persona discapacitada se sienta mejor acerca de sí misma. Más bien, como sus críticos comprendieron perfectamente, estaba afirmando ser el que estabao fendido por todos los pecados. El no perdonó a alguien ofendido por todos los pecados. El no perdonó a alguien que había tratado de hacerle daño, como pudiera perdonar a un conductor irresponsable que se interpone delante de nosotros o a un conocido que revuelve nuestra billetera. El le ofrece el perdón a un hombre que era, humanamente hablando, un perfecto extraño. Hacer eso fue, como sus crítico supieron demasiado bien, una manera de afirmar que es Dios – porque fue una afirmación de ser El, principalmente, el ofendido por los pecados humanos.

Entonces, el verdadero milagro no es la curación física del paralítico, sino el verdadero perdón de sus pecados. Ya que, por medio de ese acto, Jesús está afirmando ser Dios. Sus críticos tienen razón: solamente Dios puede perdonar pecados, y Jesús no disputa eso. El cura al hombre precisamente para puntualizar que El, el Hijo del Hombre, es también el Hijo de Dios.

Jesús Afirma la Preexistencia

En Juan 8, los líderes religiosos critican a Jesús, diciendo, "¿Quién crees que eres? ¿Crees que eres mejor que Abraham?" Jesús responde, "En verdad les digo que antes que Abraham existiera, Yo soy". (Jn 8:58). De nuevo, un lector moderno puede que no capte la inmensidad de lo que se está afirmando aquí. Jesús no está afirmando simplemente que es mayor que Abraham (quien murió unos dos mil años antes de que Jesús naciera). Eso sería extraordinariamente suficiente. Jesús está diciendo infinitamente más. "YO SOY" es el Nombre de Dios en hebreo, el Nombre mediante el cual El se reveló a Moisés en Exodo 3. Es un Nombre tan sagrado que los judíos ni siquiera lo escriben o lo pronuncian. En este pasaje, ¡Jesús se aplica ese Nombre! ¡Está afirmando ser el mismo Dios eterno que le habló a Moisés en la zarza ardiente! Los líderes religiosos comprenden perfectamente su afirmación. Es por eso que toman piedras y tratan de matarlo como un blasfemo.

Aquí están algunas otras cosas claves que dijo Jesús:

Jesús Afirma que Es el Unico Camino hacia el Padre

Como todos los sabios, Jesús muestra una forma de convertirnos en una persona mejor. El nos guía, con la palabra y con el ejemplo, para que seamos más amorosos: cuidando de los débiles, de los enfermos y de los pobres; y perdonando lo imperdonable. Pero mucho más que *mostrarnos* el camino, Jesús dice, "*Yo soy* el camino, la verdad, y la vida. Nadie va al Padre sino por mí" (Jn 14:6). Esta declaración, si no fuera cierta, haría de Jesús un ególatra, no un buen hombre. Por otra parte, si la afirmación de Jesús es cierta, entonces El esta afirmando ser mucho más que un "buen hombre".

Jesús Permite que le Rindan Culto

En Juan 20:26-29, encontramos a Jesús y a los apóstoles juntos una semana después de Su resurrección. El apóstol Tomás no había estado presente la semana anterior cuando Jesús se apareció a los demás. Tomás había aclarado que no creería que, efectivamente, Jesús había resucitado de entre los muertos a menos que pudiera meter sus dedos en las llagas de Jesús. Entonces, repentinamente, Jesús se aparece y Tomás cae de rodillas, diciendo, "¡Mi Señor y mi Dios!" Siendo judíos estrictos, Jesús y los apóstoles eran necesariamente monoteístas, rindiéndole culto a un Dios solamente. No obstante, cuando Tomás exclama, "Mi Señor y mi Dios", ni Jesús ni los otros apóstoles lo corrigen. En cambio, Jesús acepta este culto, afirmando así de nuevo *ser* ese Dios único de Israel. Mientras más miran, más claro se vuelve: nadie pensó que Jesús era simplemente un sabio.

¿Un Guru?

Una vez que realmente captamos lo que Jesús dice sobre sí mismo, la magnitud transparente de la afirmación con frecuencia puede hacer irresistible encontrar alguna forma de eludirla, porque las implicaciones son tan enormes para nosotros. De modo que si Jesús no es un sabio, algunas personas tratarán de resolver el problema volviéndose a las religiones orientales. Tal vez Jesús fue el "guru de los judíos". Según esta teoría, las afirmaciones de Jesús que es Dios son tomadas en un vago sentido hindú. "Sí", va esta línea de razonamiento, "Jesús afirmó ser Dios, pero eso es porque creyó que todo es Dios y estaba tratando de despertarnos a la conciencia de Dios de la cual todos somos una parte. Así que El afirmó ser Dios, pero también creía que toda persona y, en efecto, toda *cosa*, es Dios".

El problema principal con este recuento es que, simplemente, no viene bien con el récord en lo absoluto. Jesús no sugiere en lo más mínimo la manera de pensar panteísta hindú. Más bien, El enseña enfáticamente que El es Dios y nosotros no. El enfatiza que El viene de arriba y nosotros de abajo (Jn 8:23), que nosotros somos pecadores (Mt 7:11) y que El no tiene pecado (Jn 8:46), que Dios es uno, y que la Tierra es la banqueta de Dios, no una extensión cósmica de Su divinidad (Mt 5:34). En realidad, Jesús es completamente judío con una concepción completamente judía de un Dios que es muy distinto de Su Creación. El Dios que El afirma ser no es Vishnu, Brahma, o ninguna otra deidad pagana. El se llama con el Nombre del Dios de Israel – YO SOY.

O Dios o un Mal Hombre

Jesús afirma ser mucho más que un simple buen hombre. Y si no es el que afirma ser, entonces no puede ser un buen hombre. En su libro *Mere Christianity / Simple Cristianismo*, el gran apologista cristiano C.S. Lewis describe este *trilema*.

Jesús afirma que es Dios, de modo que lo es o no lo es. Si no lo es, entonces nos quedamos con dos opciones: o El sabe que no es Dios y es un mentiroso, o erróneamente piensa que es Dios y es un lunático. Lo que con seguridad no es, es un buen hombre simplemente.

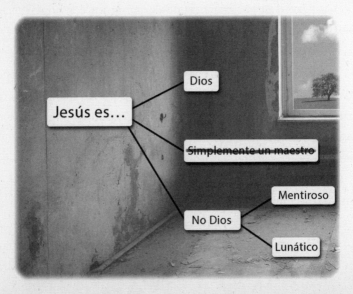

Si Jesús es un mentiroso, no es un mentiroso ordinario. Es un mentiroso de, bueno, proporciones bíblicas porque engaña a muchos para que piensen que está diciendo la verdad haciendo milagros. Tendría que ser un mentiroso espectacular, ya que sus afirmaciones no son mentiritas simplemente sino mentiras de una magnitud sin precedentes acerca de la cosa más importante imaginable. Para que un hombre le haga – y sostenga seriamente – tal afirmación a personas inocentes, tendría que ser mucho más que un simple "embaucador". Tendría que ser profundamente diabólico.

Sin embargo, estimar que Jesús es diabólico es absurdo. En Sus enseñanzas y, mucho más, en sus acciones él vive una vida que está muy orientada hacia "dar testimonio de la verdad", como El dice (Jn 18:37). Si es un mentiroso, entonces, ¿con qué propósito concebible? Los mentirosos mienten en busca de algún beneficio. ¿Qué gana Jesús como resultado de Sus afirmaciones? ¿Poder terrenal? Cuando tratan de coronarlo, él se aleja. ¿Estatus? El solamente gana la fugaz admiración de una pequeña multitud de personas aparentemente carentes de importancia – prostitutas, cobradores de impuestos, pescadores – y la eterna enemistad de los líderes que están empeñados en destruirlo y que tienen los medios para lograrlo. Cuando está en juicio por Su vida y es retado categóricamente a responder si en realidad es el Cristo, el Hijo de Dios, El no se cubre y miente. El responde, una vez más en un lenguaje cargado de doble sentido, "YO SOY" (Lc 22:70) – invitando así la crucifixión y la más horrenda y vergonzosa muerte conocida en la antigüedad. Ningún mentiroso empeñado en obtener beneficios terrenales haría esto.

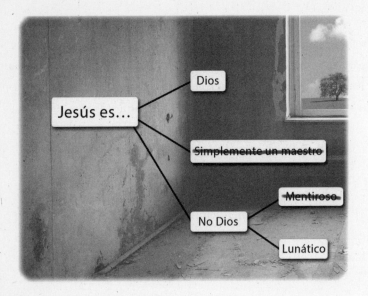

De modo que si Jesús afirma que es Dios y no lo es, nos quedamos con una alternativa solamente: está loco. El problema es que Él es radicalmente distinto a cualquier otro lunático que haya afirmado jamás que es Dios. Lean el Sermón de la Montaña en Mateo 5-7. ¿Les suena como el manifiesto de un psicótico? Observen Sus inteligentes interacciones con Sus enemigos o Sus cálidas conversaciones con sus amigos. ¿Piensan, "Aquí está un hombre trastornado"?

Por el contrario, empieza a parecer como si la dificultad para estimar a Jesús de cualquier manera menos de la manera en que lo hizo Pedro es, en efecto, muy grande. Y la respuesta de Pedro a la pregunta de Jesús es paralizadora: "Tú eres el Mesías, el Hijo del Dios vivo" (Mt 16:16).

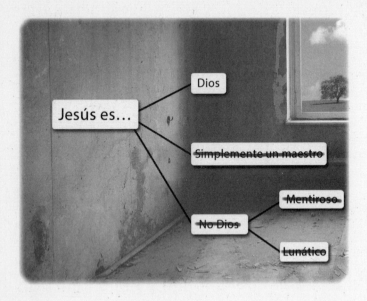

¡Pero!

"Sí", dice el escéptico, "*si* creen todo lo que leen. Pero ¿por qué debemos de confiar en la historia que nos cuenta la Biblia?"

Les diré por qué.

CAPITULO 2

¿PUEDEN CREER LO QUE LEEN?

La evidencia bíblica sobre Jesús, si es exacta, es convincente. Pero, ¿podemos creer lo que leemos? ¿Cómo sabemos que lo que el Nuevo Testamento afirma acerca de Jesús ocurrió realmente? El libro fue escrito hace mucho tiempo y, por lo tanto, muchos llegan a la conclusión que está lleno de contradicciones y de inexactitudes. Mas, ¿lo está? Otros acusan que, aún si el Nuevo Testamento que tenemos hoy día realmente preserva lo que los testigos afirman haber visto, todavía es solamente la historia pintada oficial de la Iglesia, escrita para hacer lucir bien a los apóstoles.

Algunas falsedades

Antes de discutir la exactitud del Nuevo Testamento, tenemos que lidiar con unos cuantos prejuicios modernos que hacen que muchas personas no puedan evaluar el texto de una manera justa, de la misma manera que evaluarían el texto de algún otro libro antiguo, digamos, *La República* de Platón. Aquí están algunos de los escollos que los lectores críticos de la Biblia sacan a relucir. Veamos cómo enfocar estos retos de manera apropiada, cómo tratarlos:

1)   Equivocar "Complementario" con "Contradictorio"

En Mateo 5:1, Mateo nos dice que Jesús subió a la montaña y predicó el Sermón de la Montaña. En Lucas 6:17, se nos dice que Jesús se detuvo en un lugar llano (esto es, la llanura) y predicó un sermón que se parece mucho al Sermón de la Montaña. ¿Estaba Jesús en una montaña o en un llano? ¿Es ésta una contradicción? No. Al igual que muchos oradores modernos dan la misma charla en distintos lugares, Jesús reiteraría este sermón muchas veces porque representa el centro de Sus enseñanzas. Mateo recuerda el sermón de Jesús como fue predicado en la montaña porque Mateo está destacando cómo Jesús es el Nuevo Moisés dando una Nueva Ley en una Nueva Montaña. Lucas lo presenta en un plano porque Lucas está haciendo énfasis en Jesús como el nuevo Adán que pone la salvación a la disposición de todos, no a una pequeña élite simplemente. En realidad, Jesús es el cumplimiento de ambos, Moisés y Adán. Cada autor está destacando los aspectos complementarios de la vida de Jesús, tomando de la superabundancia de eventos reales que realmente tuvieron lugar. La habilidad para distinguir entre "complementario" y "contradictorio" es esencial para leer los recuentos históricos.

2)   Ignorancia de la Forma Literaria

Hoy en día, muchas personas suscriben la noción que si la Biblia no es un recuento de periódico, carece de verdad. Sin embargo, en realidad, la verdad es contada en muchas formas y géneros literarios diferentes, y la Biblia los contiene todos. Para interpretar adecuadamente un pasaje de la Biblia, tenemos que comprender la *forma literaria* de ese pasaje en particular. Por ejemplo, en los Evangelios, Jesús hace uso de muchas *parábolas*. Un entendimiento correcto es afirmar que Jesús realmente dijo estas parábolas. No obstante, no es necesario creer que hubo una Buena Samaritana o un Hijo Pródigo históricos, sólo que Jesús usó estas historias ficticias para enseñar verdades sobre la caridad, la misericordia, y el amor de Dios.

Además, Jesús usó la *hipérbole*, una forma de exageración literaria. Por ejemplo, El nos dice en Mateo 5:30 que si tu mano derecha te causa pecar, debes cortártela. Aunque nuestras manos pueden ser usadas para *cometer* pecados, no pueden *causarnos* pecar. Pecar viene del corazón, de modo que el remedio para pecar no es literal, amputación física. Jesús está usando un lenguaje figurado para comunicar un sentido de urgencia en renunciar a pecar.

Los modernos tienden a decir, "La Biblia está llena de verdades poéticas, pero nunca deben tomarlas literalmente". El problema con este enfoque es que no capta que algunas partes están *supuestas* a ser tomadas literalmente. Cuando dice que Jesús nació en Belén de Judea o que las mujeres fueron a la tumba de Jesús el tercer día, la encontraron vacía, y se encontraron con el Cristo Resucitado, esto está supuesto a ser entendido no en algún vago "sentido poético", sino de una manera literal. Siempre tenemos que leer la Biblia como una obra literaria y, cuando sea apropiado, tomarla literalmente también.

3)   Uso Bíblico de un Lenguaje No-Técnico

El Nuevo Testamento usa lenguaje no técnico y pre-moderno. Eso no significa que no sea confiable. Por ejemplo, los Evangelios nos dicen que las mujeres fueron a la tumba al "amanecer". ¿Se menciona el "amanecer" porque los escritores de los Evangelios están tratando de reafirmar los detalles técnicos de la teoría antigua que el sol gira alrededor de la Tierra? No, se hace por la misma razón que ustedes dirían "voy a pescar al amanecer". Los escritores de los Evangelios están usando el lenguaje humano de la manera humana. Todos hablamos de esta manera. Tratar de exigir que un texto antiguo corresponda a expectativas irrazonables inevitablemente lleva a malas interpretaciones y a confusiones.

4)   Fallo de Leer en Contexto

Tenemos que tener mucho cuidado de leer un texto bíblico en su propio contexto. El mismo demonio cita la Escritura, fuera de contexto, para tentar a Jesús (Mt 4:5-6). Sin el propio contexto, cualquier texto puede ser distorsionado para decir casi cualquier cosa. Por ejemplo, en Mateo 27:5 leemos que Judas "se ahorcó". Y en Lucas 10:37 se nos dice, "Vete, y tú haz lo mismo". Si sacamos estos dos pasajes de su contexto y los combinamos, leemos, "Judas se ahorcó: Vete y tú haz lo mismo". Pero la Biblia no nos enseña a cometer suicidio. Comprender el contexto nos ayuda a interpretar los textos de manera apropiada.

5)   Resistencia a lo Inexplicable

Finalmente, tan sólo porque algo es *inexplicable* no quiere decir necesariamente que es *imposible*. Que no podamos entender algo en la Biblia, no significa que la Biblia esté equivocada. Hasta las generaciones pasadas, hubo debates entre los científicos sobre cómo podían volar los moscardones. Las leyes de Aerodinámica no podían explicar cómo podían volar debido al relativo pequeño tamaño de sus alas en relación a su cuerpo. No obstante, los moscardones siguieron volando. De la misma manera, leemos ciertas cosas en la Biblia (como la resurrección de Jesús) y no comprendemos cómo tales cosas podrían ser. Los autores del Nuevo Testamento no sabían cómo tal cosa podría ser; ellos simplemente sabían que, en efecto, ocurrió.

De igual manera, decir que "los antiguos creyeron en la resurrección de Jesús porque ignoraban la ciencia" es simplemente incierto. Las personas *siempre* han sabido perfectamente bien que los muertos no regresan a la vida y no necesitan que un hombre en un saco de laboratorio se los diga. Apelar a la ciencia para declarar milagros "imposibles" no funciona. Por definición, la Ciencia solamente puede hablar de eventos medibles en el universo. No puede afirmar si un Dios que existe fuera del universo puede intervenir en el orden creado tanto más que un erudito constitucional puede declarar que, en su experta opinión, es imposible que alguna vez haya una revolución que suspenda, altere o derogue la Constitución de los Estados Unidos.

Crítica Textual

Hay una disciplina erudita llamada *crítica textual* que se ocupa de la fiabilidad de textos antiguos. El enfoque de esta disciplina es:

¿Podemos confiar que lo que leemos es un reflejo exacto de lo que fue escrito originalmente? Es una disciplina que trata todos los libros de la misma manera y no presta atención alguna a reclamaciones de inspiración. Trata el texto del Nuevo Testamento justo de la misma manera que trataría el texto del récord de la guerra en la Galia de Julio César – imparcial y objetivamente.

Hay tres tipos básicos de evidencia usados en pruebas de fiabilidad de cualquier texto antiguo: bibliográfico, interno y externo.

Evidencia Bibliográfica

Un argumento común en contra de confiar en el Nuevo Testamento es que no tenemos ninguno de los manuscritos originales, así que ¿por qué confiar en las versiones que tenemos hoy?

El problema con este enfoque es que virtualmente elimina todo nuestro conocimiento del mundo pre-moderno si presionamos el argumento muy fuerte. Ya que ningún manuscrito original de escrito alguno hasta muy cerca de la era moderna ha sobrevivido. Los documentos más antiguos fueron escritos en papiros, los cuales se descompusieron con el tiempo, de modo que fue necesario hacer copias. Si hacemos de la existencia de un manuscrito original nuestro único criterio para confiar en un documento, entonces tenemos que desechar casi todo lo que conocemos de la historia con anterioridad a uno o dos siglos pasados.

Felizmente, no estamos limitados por un enfoque tan riguroso. Ya que es posible proveer evidencias poderosas de que nuestras versiones modernas corresponden con el original. Para ver cómo funciona esto, miremos a un par de otros textos antiguos.

Demóstenes fue un orador griego que escribió en el año 300 A.C. No tenemos ninguno de los originales de su obra, pero tenemos ocho copias que datan del año 1100 D.C. Todas las otras copias de Demóstenes que han sido realizadas en los siglos intermedios están basadas en esos ocho antiguos.

Las Guerras Galas de Julio César fue escrito aproximadamente un siglo antes que el Nuevo Testamento y, al igual que el Nuevo Testamento, no tenemos originales escritos por la mano de César. En efecto, solamente diez copias del texto existen, las cuales datan del año 900 D.C. De modo que ¿cómo sabemos que son exactas representaciones de lo que César escribió?

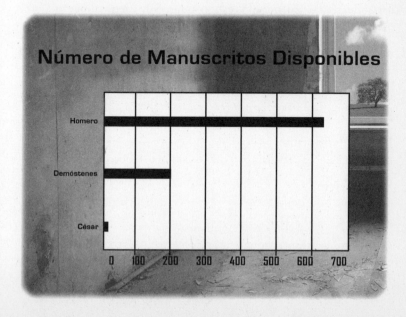

Número de Manuscritos Disponibles

Podemos probar la exactitud y la fiabilidad de manuscritos antiguos de varias maneras. Primero, comparando unas con otras las copias de manuscritos antiguos. En general, cuando ocurre un error al copiar, ocurre en un manuscrito. Si un manuscrito varía de los otros manuscritos existentes, la discrepancia será obvia usualmente.

Además, otros autores antiguos toman citas de la fuente original que ya no poseemos. Por ejemplo, el manuscrito completo de Mateo más antiguo que tenemos data del siglo IV. Pero Jerónimo, un erudito bíblico que vivió en el siglo IV, nos dice que él vio el manuscrito *original* de Mateo, fechado 300 años antes de la copia que ahora poseemos. Jerónimo tradujo a Mateo al Latín, lo cual quiere decir que tenemos acceso al conocimiento que Jerónimo tenía de Mateo. Cuando un testigo antiguo de un documento (como Jerónimo) y nuestro manuscrito o manuscritos de ese documento dicen lo mismo, hay un alto grado de probabilidad que estamos viendo lo que el autor (en este caso Mateo) escribió originalmente.

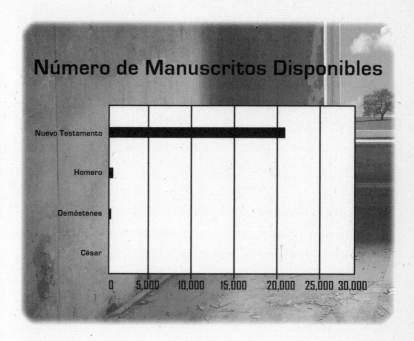

Comparación y Contraste de Textos No-Cristianos con el Nuevo Testamento

En lo que se refiere al Nuevo Testamento, no poseemos una pequeña cantidad de manuscritos y fragmentos, sino *5,366* manuscritos y fragmentos antiguos, todos fechados entre cincuenta y cien años de distancia de los originales.[3] Y este número no incluye las traducciones del texto del griego original a otros idiomas. Tenemos más de 10,000 copias de la Vulgata en latín, la traducción

---

[3]*The New Evidence That Demands a Verdict / La Nueva Evidencia que Exige un Veredicio,* Josh McDpwell (Nashville: Nelson, 1999) p.38

de la Biblia realizada por San Jerónimo en el siglo IV, con frecuencia de manuscritos que ya no existen. Tenemos más de 2,000 copias en cóptico y más de 4,000 en lenguajes eslavos.

Esa es muchísima información con la cual comparar y constatar los distintos textos y alcanzar un grado de exactitud increíblemente alto sobre lo que el texto griego original realmente decía (y que ya está bien conservado). En las palabreas del Dr. John Warwick Montgomery, lo esencial es esto:

> Tener dudas del texto resultante de los libros del Nuevo Testamento es permitir que todos los clásicos de la antigüedad se deslicen en la obscuridad. Ya que ninguno de los documentos del período antiguo está tan bien atestiguado bibliográficamente como el Nuevo Testamento.[4]

El Carácter Sagrado Solamente Aumenta el Interés

El asunto acerca de los textos sagrados es que las personas están mucho más propensas a mostrar un cuidado enorme con ellos precisamente *porque* son sagrados. La increíble precisión de los copistas bíblicos es un buen ejemplo. Los copistas se ocuparon concienzudamente de mantener el texto fiel al que copiaron. Los primeros cristianos copiaban palabra por palabra y después hacían que otras personas examinaran su trabajo. El número de letras, de

---

[4]McDowell, p.36

palabras, y de líneas era contado. Si encontraban el más mínimo error, destruían la copia y empezaban de nuevo en lugar de correr el riesgo de cometer el sacrilegio de corromper el texto sagrado.

El resultado de este rigor fue impresionante: La confiabilidad bíblica y la fidelidad al texto original han sido científicamente establecidas por la crítica textual. Ni una sola doctrina cristiana es puesta en duda debido a alguna cuestión concerniente a la fiabilidad de la Biblia – y ciertamente nada que arroje la más mínima sombra en las afirmaciones tan claras como el cristal sobre la deidad de Jesucristo encontradas en el Nuevo Testamento.

Author	Book	Date Written	Earliest Copies	Time Gap	No. of Copies
César	Guerras Galas	100-44 AC	c. DC 900	1,000 años	10
Demóstenes		300 AC	c. DC 1100	1,000 años	200
Homero	Ilíada	800 AC	c. 400 AC	400 años	643
Nuevo Testamento		DC 50-100	c. 114 (fragmento) c. 200 (libros) c. 250 (mayoría del NT) c. 325 (NT completo)	c.50 años 100 años 150 años 225 años	5,366
Otros Manuscritos Bíblicos Antiguos			Vulgata en Latín Etiópicos Eslavos		+10,000 +2,000 +4,101

Evidencia Interna

La segunda prueba de fiabilidad es la *evidencia interna*. ¿Habla el documento por sí mismo? ¿Se contradice? ¿Es lógico y plausible?

Por ejemplo, si un texto nos da una información errónea obvia sobre costumbres, personas, o sobre la geografía de la Judea del siglo I, eso sería una evidencia en contra de la fiabilidad. Por otra parte, si un documento que pretende ser del Apóstol Juan da de una manera espontánea detalles que muy probablemente serían desconocidos para un falsificador posterior, ésta sería una sólida evidencia de que el autor está en efecto dándonos el recuento de un testigo. De modo que cuando Juan habla en tiempo presente de las características arquitectónicas de Jerusalén que no sobrevivieron a la destrucción del Templo en el año 70 D.C., la explicación más probable es que el autor estuvo familiarizado personalmente con ellas – y por lo tanto fue un testigo escribiendo sobre cosas que él vio. Esto nos ayuda a establecer la fecha de un documento.

Igualmente, cuando Lucas cuenta los viajes y las aventuras de Pablo, hace mención de varios pueblos y eventos. De la misma manera, estos hechos pueden ser conocidos con frecuencia a través de fuentes no-bíblicas. Eso nos ayuda a datar los eventos en el Nuevo Testamento.

Otra clase de evidencia interna la constituyen "detalles que nadie inventaría". Por ejemplo, los Evangelios ofrecen detalles muy poco halagüeños sobre los apóstoles. Si los Evangelios fueran un récord arreglado con el propósito de hacer parecer a Jesús como un dios y a sus amigos como testigos confiables, no contendrían, muchos de los detalles que contienen. Es difícil dar cuenta por la inclusión de historias como la negación de Jesús de Pedro o la cobardía de los apóstoles. Si el Nuevo Testamento es simplemente la creación de los apóstoles, afirmando falsamente que Jesús era Dios, estas verdades inconvenientes serían las primeras en ser omitidas. Sin embargo, ahí están.

Una tercera clase de evidencia interna es la corroboración "accidental" de fuentes ampliamente esparcidas.

Evidencia Externa

Por supuesto, el Nuevo Testamento está escrito para todo el mundo en toda época, pero tuvo una audiencia inicial. ¿Qué pensaron de él? ¿Cómo lo leyeron? Este es el tercer aspecto para determinar no sólo la fiabilidad del texto bíblico, sino también su significado. ¿Cuál es el testimonio de la audiencia original? Leamos las palabras de Ireneo de Lyons (c. 180 D.C.):

> Tan firme es el terreno en los que estos evangelios descansan que hasta los muy heréticos mismos dan testimonio de ellos y los usan como punto de partida para sus intentos de establecer una cierta doctrina.

El gran maestro de Ireneo fue un hombre llamado Policarpio. El maestro de Policarpio fue Juan el Apóstol. Cuando Policarpio tenía ochenta y seis años de edad, la autoridad romana le ordenó que renunciara a Cristo. El rehusó diciendo, "Yo he servido a Cristo por seis y ochenta años, y nunca me ha hecho mal. ¿Cómo, entonces puedo yo blasfemar a mi Rey y Salvador?"

Repetido muchas veces por los mártires, esto es un testimonio de la integridad de los apóstoles (todos los cuales sufrieron ellos mismos o murieron por sus testimonios) y, en última instancia de la integridad del mensaje que ellos proclaman. La honradez de los apóstoles está atestiguada por sus décadas de sufrimiento, aislamiento, persecución, exilio, ridículo y muerte. El Nuevo Testamento ha sido asimismo probado más que ningún otro texto, y ha resistido el escrutinio tanto de amigos como de enemigos.

Conclusión

El Nuevo Testamento establece que las reclamaciones de Jesús a la deidad no son mitos o leyendas que lentamente se han deslizado en el texto en el transcurso de los siglos, corrompiendo una colección de escritos sobre un buen rabino convirtiéndolo en un dios. Lo que leemos en el Nuevo Testamento hoy es lo que fue escrito en el siglo I por testigos – o por compañeros de los testigos. El simple hecho es éste: Jesús no fue ejecutado por decir, "ámense unos a otros" o "traten de ser buenos". El fue ejecutado por afirmar ser el Dios del universo – el YO SOY. El no nos pide simplemente que aceptemos sus *enseñanzas*; El nos llama a aceptarlo a *El*. Es por eso que fue ejecutado. Y es por eso que los apóstoles se convirtieron en los testigos del gran milagro de la historia: la resurrección de Jesús de entre los muertos.

CAPITULO 3

¡EN VERDAD EL HA RESUCITADO!

Hemos visto que Jesús se distingue en la historia humana con su creíble afirmación de ser Dios. Hemos visto que la Biblia provee un récord fiable de sus hechos y de sus palabras – incluyendo el testimonio de sus obras milagrosas.

Sin embargo, aunque la vida de Jesús fue verdaderamente extraordinaria, es lo que hizo *después* de su muerte lo que realmente lo separa de los demás: El resucitó de entre los muertos. Esto no fue un truco de efectos especiales de Hollywood; Jesús estuvo realmente muerto y ha resucitado realmente. Siglos de cultura cristiana pueden habernos hecho insensibles a este hecho inspirador de asombro, pero la base de toda la fe cristiana es la tumba vacía. Así que vamos a considerarla claramente. Este evento tuvo lugar no en algún lugar mitológico, sino en la muy real ciudad de Jerusalén en un momento específico de la historia, es decir, durante el gobierno del procurador romano Poncio Pilato.

Toda la fe cristiana se mantiene o cae con la resurrección de Jesús de Nazaret ya que el corazón del Cristianismo no es una serie de principios o ideas; es la persona de Jesucristo, corporalmente resucitado de la muerte a la gloria a la derecha del Padre. San Pablo se hace eco de este mismo punto cuando escribe a los cristianos en Corinto: "… si Cristo no resucitó, nuestra predicación no tiene contenido, como tampoco la fe de ustedes" (1Cor 15:14).

La resurrección, la prueba suprema de la afirmación de Cristo, es también esencial para cada uno de nosotros: Cristo conquista la muerte no sólo para Sí mismo, sino para todos los que creen en El. Ser cristiano no es para los débiles de corazón; es una respuesta radicalmente dramática al evento más radicalmente dramático de toda la historia.

La resurrección es absolutamente central para la prédica de los apóstoles. Muy sencillo, los apóstoles no tienen casi nada más que decir más allá de "Jesucristo, el Hijo de Dios, fue resucitado de entre los muertos para nuestra salvación". Esa es la "buena nueva". Sin ella, no habría documento alguno del Nuevo Testamento.

Los autores del Nuevo Testamento toman esta buena nueva sobre la resurrección del mismo Jesús antes de que ocurriera – de Sus prédicas. El la sugiere en un comentario críptico a sus enemigos en Jerusalén. "¡Destruyan este templo, que yo lo levantaré en tres días!" (Jn 2:19).

Jesús se hace más claro acerca de Su próxima resurrección inmediatamente después de concederle las "llaves de Su Reino" a

Pedro cuando declara a Sus discípulos que tiene que ir a Jerusalén y sufrir muchas cosas a manos de los ancianos, los sumos sacerdotes, y los escribas, y ser asesinado y, en el tercer día, resucitado (Mt 16 :21).

Todo esto hace entender que fue Jesús, no Sus seguidores, quien creyó en Su resurrección y la predijo. En efecto, una y otra vez, los apóstoles nos recuerdan que no comprendieron o creyeron lo que Jesús estaba diciendo sobre Su resurrección. De hecho, ellos estaban escandalizados por la cruz y con el corazón deshecho por la muerte de Jesús. Cuando El muere, no oímos a ninguno de ellos decir, "está bien, El va a resucitar de entre los muertos". Cuando Jesús es crucificado, Sus seguidores son traumatizados; huyen y se esconden, sin saber qué hacer. Es tan sólo cuando El se les aparece resucitado de entre los muertos – y los reprende por su falta de fe – que empiezan a entender. Y su prédica se centra por completo en el mensaje que "Es un hecho que Dios resucitó a Jesús; de esto todos nosotros somos testigos" (Hechos 2:32).

Tenemos que sentir el peso de esta afirmación absolutamente extraordinaria. Al considerar la resurrección, hay dos hechos que tenemos que tratar: un cadáver desaparecido y reportes de un Cristo resucitado con un cuerpo glorificado.

Estos hechos, al igual que la pregunta "¿Quién dicen ustedes que soy yo?" admiten un número limitado de respuestas. Aquí tienen unas pocas alternativas de teorías que intentan explicar la tumba vacía.

- Algunos, como John Dominic Crossan del Seminario Jesús, dicen que Jesús no fue enterrado en una tumba en lo absoluto. Sugieren que Su cuerpo fue tirado en una tumba poco profunda y devorado por perros salvajes. Entonces, los apóstoles delirantes se consolaron con visiones de una resurrección.

- Otros, como el difunto Kirsopp Lake, proponen que los apóstoles fueron a la tumba equivocada, la encontraron vacía, y, en alguna clase de histeria en masa, alucinaron una resurrección.

- Aún otros sugieren que Jesús fue resucitado "espiritualmente", es decir, que no fue resucitado corporalmente sino que fue una aparición que se hizo visible a los apóstoles para probar que todavía estaba vivo.

- Otra teoría mantiene que Jesús no murió realmente en la cruz; solamente se desmayó. Después, despertó en la tumba, empujó la roca que pesaba varias toneladas, salió, y convenció a Sus seguidores de que había resucitado de entre los muertos.

- Aún otros teorizan que Jesús tuvo un hermano gemelo, quien (dependiendo de a cuál teorista escuchan) murió en la cruz en lugar de Jesús, o cuando Jesús murió, dijo, "Esta es mi oportunidad. Mi hermano ha sido el popular, pero ahora yo puedo ser el Mesías". De modo que el gemelo tomó su lugar y engañó a los apóstoles haciéndoles creer que era Jesús. La Teoría de los Gemelos es una idea popular entre ciertos teorizantes de conspiración propensos a escuchar a personas como Michael Baigent, Richard Leigh, y Henry Lincoln, autores de *Holy Blood, Holy Grail / Sagrada Sangre / Sagrado Grial.*

• Finalmente, otro grupo de teorías mantiene que alguien se robó el cuerpo de Jesús.

Vamos a echar un vistazo a estos intentos desesperados de contradecir el testimonio de los apóstoles:

La Teoría de los Perros Salvajes

El problema con la teoría de los "perros salvajes" es doble: 1) no hay ninguna evidencia en lo absoluto para ella; y 2) hay una gran cantidad de evidencia en contra de ella, incluyendo de enemigos de Jesús. Todos los récords verdaderos dicen que el cuerpo de Jesús desapareció de la tumba prestada de José de Arimatea, un miembro del consejo gobernante de los judíos llamado el Sanhedrín, José no es la clase de testigo que cualquiera inventaría. El era bien conocido y pudo haber refutado fácilmente las afirmaciones si eran falsas.

Además, aún los enemigos de Jesús dieron la tumba vacía por hecho. Nunca negaron que Jesús fue enterrado en la tumba de José de Arimatea. Por el contrario, el primer intento para explicar la resurrección gira alrededor de su propia decisión de poner una guardia en la tumba. La historia contada por los contrarios de los apóstoles no es que "el cadáver de Jesús fue devorado por perros salvajes". Es que los apóstoles se robaron el cuerpo de Jesús de la tumba de José mientras los guardias dormían. Toda la evidencia, aún la que ofrecen los enemigos de Jesús, señalan al entierro de Jesús en la tumba de José de Arimatea – una tumba vacía, en el tercer día.

La Teoría de la Tumba Equivocada

"Muy bien", dicen los escépticos, "y si los apóstoles fueron a la tumba equivocada, la encontraron vacía, y alucinaron la resurrección".

Sin embargo, esta teoría nos presenta el mismo problema de antes. Jesús fue enterrado en la tumba de un hombre muy prominente, que era conocido no sólo por los apóstoles, sino también por los líderes judíos y romanos de la época. Aunque los apóstoles hubieran sido suficientemente tontos como para tomar un camino equivocado, miraran en la tumba equivocada e, inmediatamente, llegaran a la conclusión que Jesús había resucitado de entre los muertos, es difícil aceptar la noción que una vez que ellos regresaran proclamando la resurrección de Jesús, nadie – incluyendo a sus enemigos – hubiera ido a la tumba correcta y hubiera producido el cuerpo de Jesús.

Una Palabra Sobre Alucinación Masiva

Las dos teorías que acabamos de discutir mantienen que los apóstoles fueron víctimas de algún tipo de alucinación masiva. Sin embargo, las alucinaciones (mucho más las alucinaciones masivas) requieren circunstancias que singularmente faltaron con respecto a la resurrección – ya que no encontramos apóstoles simples, deseosos de creer cualquier cosa después de la muerte de Jesús. En cambio, encontramos hombres escépticos, lentos para creer el testimonio de los primeros testigos que venían de la tumba.

Además, está el problema de una alucinación masiva en la que nadie parece reconocer a Jesús. Los récords nos dicen que, en tres ocasiones distintas, Jesús se apareció a Sus discípulos y ellos ni siquiera se dieron cuenta de que era él.

La Teoría de la Resurrección Espiritual

Una manera de darle vuelta a los problemas inherentes a la alucinación masiva es decir que los apóstoles realmente vieron a Jesús después de Su muerte, pero que tan sólo presenciaron una "resurrección espiritual" más bien que una resurrección física. El problema con esta teoría es que una resurrección espiritual deja el cuerpo de Jesús en la tumba; pero, como ya hemos visto, toda la evidencia señala hacia el hecho que la tumba estaba vacía. De modo que el cuerpo de Jesús tiene que ser considerado. La manera en que los mismos apóstoles lo consideran es bastante clara:

"Pero él [Jesús] les dijo: '¿Por qué se desconciertan? ¿Cómo se les ocurre pensar eso? [Que veían algún espíritu] Miren mis manos y mis pies: soy yo. Tóquenme y fíjense bien que un espíritu no tiene carne ni huesos, como ustedes ven que yo tengo". (Y dicho esto les mostró las manos y los pies). Y como no acababan de creerlo por su gran alegría y seguían maravillados, les dijo: ¿Tienen aquí algo que comer? Ellos, entonces, le ofrecieron un pedazo de pescado asado (y una porción de miel); lo tomó y lo comió delante ellos". (Lc 24:38-43)

El récord de los testigos es claro: Jesús fue resucitado corporalmente, no sólo espiritualmente.

La Teoría del Desvanecimiento

Una teoría perenne presentada para tratar con las apariencias de Jesús de la resurrección es que Jesús movió Su cuerpo de la tumba – porque no estaba muerto. Según esta teoría, El simplemente se desmayó en la cruz, a causa de Sus sufrimientos o de una droga que le dieron para aparentar Su muerte. Esta teoría puede satisfacer a personas con poco o ningún conocimiento médico o pensamiento crítico; pero, de otra manera, es difícil de venderse.

Considerar que Jesús, después de unos azotes brutales (un castigo horrible que con frecuencia mataba a la víctima antes de su ejecución siquiera pudiera llevarse a cabo), estuvo colgado en la cruz por horas, jadeante y atravesando lentamente las agonías de un edema pulmonar, una condición médica en la que el corazón y los pulmones se llenan de líquido hasta que la víctima se sofoca. Además de la pérdida masiva de sangre a consecuencia de los azotes, Jesús tenía grandes púas atravesados directamente en un nervio central en sus muñecas. Para respirar, tenía que empujarse con sus muñecas y empujar hacia abajo en los clavos que atravesaban sus pies. Esto duró *horas*.

Para apresurar el proceso, los soldados romanos, expertos en la muerte, decidieron quebrar sus piernas (para que no pudiera empujarse hacia arriba para respirar). En Juan 19:33, leemos que los soldados encontraron que Jesús ya había muerto. No obstante, para asegurarse, en lugar de quebrar sus piernas, atravesaron su costado con una lanza. Los testigos vieron sangre y agua brotar de la herida. El término médico moderno para esto es "rotura del pericardio". Aunque los soldados entrenados estuvieran equivocados y Jesús todavía estaba vivo, este golpe a través del corazón con la lanza del soldado ciertamente lo hubiera matado. También debemos señalar que ninguno de sus seguidores dolientes y familiares notó ninguna señal de vida al prepararlo para su entierro.

Supongamos, no obstante, que por una rara casualidad, este hombre que había soportado torturas, azotes, coronación con espinas, una lucha a través de las calles de Jerusalén cargando la cruz, la crucifixión, una lanza que le atravesó el corazón, y dos noches y un día en una tumba fría en Jerusalén ahora recupera el sentido – tan sólo para encontrar una piedra de varias toneladas bloqueando la entrada. De alguna forma, Jesús hubiera tenido que rodar la piedra.

Entonces, ¿qué? Se hubiera tambaleado en el pueblo con los pies ensangrentados y fracturados, en estado de shock, sufriendo una pérdida masiva de sangre, desfigurado por las cicatrices y sangrando del costado – ¿y al instante convenció a Sus seguidores que El era el Conquistador de la Muerte? La Teoría del Desvanecimiento ilustra simplemente cuán lejos algunas personas están dispuestas a llegar para tratar de escaparse de los hechos acerca de Jesús.

La Teoría del Gemelo Perdido

Aún otros tratan de explicar la resurrección con la teoría del "gemelo perdido" de Jesús. Algunos le asignan ese papel a Tomás, ya que su nombre significa "gemelo". El problema es éste: Si Tomás murió en el lugar de Jesús, entonces ¿cómo es que estuvo presente una semana después con los apóstoles, exigiendo una prueba de la resurrección de Cristo como está registrado en Juan 20? Por otra parte, si Tomás posó como el Cristo resucitado, entonces ¿quién fue el que cayó de rodillas ante Jesús y proclamó, "Tú eres mi Señor y mi Dios"? (Jn 20:28).

Confrontados con esta obvia dificultad, algunos afirmarán que algún desconocido era el gemelo de Jesús. De cualquier manera, dado el hecho que no hay récord alguno en lo absoluto de ningún gemelo, ¿cómo podría esta persona haber pasado completamente inadvertida por los apóstoles antes de este momento? Después de todo, ellos habían pasado tres años con Jesús y habrían conocido muy bien a su familia. También necesitamos preguntar cómo este impostor pasó a través de las puertas cerradas, desapareció en un instante, y desapareció completamente cuarenta días después de simular su ascensión a los cielos (Hechos 1). En breve, para aceptar esta teoría, tenemos que afirmar que el gemelo de Jesús logró llevar acabo el mayor engaño de la historia – y ¿por qué razón? ¿Cuál fue el propósito de todo eso?

De modo que volvemos a la siguiente conclusión: Jesús estaba muerto – y, sin embargo, la tumba en que fue enterrado fue encontrada vacía. Así que estas teorías locas no pueden explicar la tumba vacía, la única otra opción es que alguien tiene que haber tomado Su cuerpo. Pero ¿quién? Si Jesús no resucitó realmente de entre los muertos, básicamente hay tres opciones: los romanos, los líderes judíos, o los cristianos. ¿Es posible que uno de estos grupos pudiera haber tomado el cuerpo de Jesús?

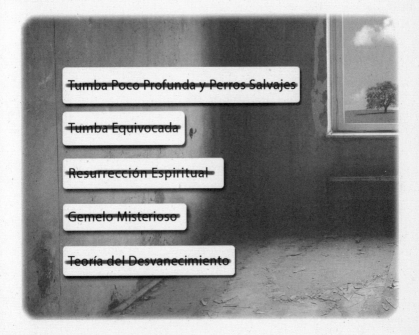

Los Romanos se Robaron el Cuerpo

¿Qué razón posible tendrían los romanos para robarse el cuerpo de Jesús? Ellos no tenían nada que ganar de una tumba vacía. Lo que ellos querían más que cualquier cosa era paz y tranquilidad. Una tumba vacía sólo causaría caos y confusión, primero en Judea y después en todo el Imperio. Aún si, por alguna razón inexplicable, los romanos se *hubieran* robado el cuerpo y los cristianos hubieran empezado a hacer un lío acerca de la resurrección, los romanos podrían simplemente haber producido el cuerpo de Jesús y terminar el descontento entre los líderes judíos y la joven Iglesia Cristiana.

De hecho, el procurador romano Poncio Pilato, proveyó un equipo de soldados armados para asegurar la tumba, precisamente *porque* los líderes judíos estaban preocupados por que los apóstoles pudieran tratar de robarse el cuerpo. La disciplina romana era severa. Si un soldado romano se dormía en el trabajo, era potencialmente sujeto a ser ejecutado. Por tanto, los soldados romanos estaban altamente motivados a permanecer despiertos y alertas mientras vigilaban. Perder el cuerpo de una persona controversial a la que habían matado hubiera traído severas consecuencias. Simplemente no hay razón para pensar que los romanos hubieran robado el cuerpo de Jesús.

Los Líderes Judíos se Robaron el Cuerpo

Al igual que los romanos, los líderes judíos no tenían nada que ganar y todo que perder robándose el cuerpo de Jesús de la tumba.

Ellos mismos aclararon que estaban preocupados por las promesas de Jesús de una resurrección.

> Al día siguiente (el día después de la Preparación de la Pascua), los jefes de los sacerdotes y los fariseos se presentaron a Pilato y le dijeron: 'Señor, nos hemos acordado que ese mentiroso dijo cuando aún vivía: Después de tres días resucitaré. Ordena, pues, que sea asegurado el sepulcro hasta el tercer día, no sea que vayan sus discípulos, roben el cuerpo y digan al pueblo: Resucitó de entre los muertos. Este sería un engaño más perjudicial que el primero'. Pilato les respondió: 'Ahí tienen una guardia. Vayan ustedes y tomen todas las precauciones que crean convenientes'. Ellos, pues, fueron al sepulcro y lo aseguraron. Sellaron la piedra que cerraba la entrada y pusieron guardia. (Mt 27:62-66)

Los líderes judíos pasaron muchos trabajos para hacer que crucificaran a Jesús. Ellos lo querían muerto y con seguridad no querían que regresara de entre los muertos. De manera que ellos, tampoco tenían nada que ganar con una tumba vacía – y si se hubieran robado el cuerpo por alguna razón inimaginable, seguramente lo hubieran producido tan pronto como los cristianos empezaran a afirmar que Jesús había resucitado de entre los muertos. No obstante, su única explicación por la tumba vacía fue que los apóstoles se habían robado el cuerpo. Un robo del cuerpo de Jesús por los romanos o por los judíos tampoco explica los múltiples reportes de encuentros con el Cristo resucitado, desde María Magdalena, hasta los discípulos en el Camino a Emaús, hasta los apóstoles en varias ocasiones, hasta más de quinientas personas a la vez.

Los Apóstoles se Robaron el Cuerpo

Hasta ahora, hemos mirado toda alternativa de explicación común (si no loca) excepto por la única realmente ofrecida en la Biblia. En Mateo 28:11-15, leemos que los líderes judíos dijeron a los guardias romanos que dijeran que los discípulos de Jesús habían ido por la noche y se lo habían robado. Los líderes judíos hasta ofrecieron cubrir a los guardias romanos con sus superiores.

Pero, ¿es esto realmente plausible? Un contingente de guardias romanos típico consistía de dieciséis o más soldados. En este escenario, hubiera sido necesario que todos estos guardias se hubieran dormido, aún cuando enfrentaran su ejecución por hacerlo. La alternativa es que los apóstoles, furtivamente, pudieran aparecérseles a estos dieciséis guardias entrenados, rodaran la piedra, y salieran corriendo con el cuerpo de Jesús – a pesar de que estos mismos apóstoles habían estado acobardados llenos de temor el día antes. Si les había faltado el valor para defender a Jesús mientras estaba vivo, ¿dónde encontrarían ahora el valor para robarse Su cuerpo?

En resumidas cuentas: Si los apóstoles se hubieran robado el cuerpo de Jesús y después hubieran afirmado falsamente que había resucitado, no sólo hubieran sido unos mentirosos, sino que hubieran sido el grupo de mentirosos más asombroso de la historia mundial. Por el resto de su vida, ni uno solo de estos hombres renunció jamás a la resurrección. Aún más increíblemente, todos los apóstoles excepto Juan fueron asesinados por predicar el Evangelio. Todos pagaron con sangre por su fe en el Cristo resucitado.

En realidad, ellos pagaron con sangre muchas veces porque no sólo *murieron* como mártires; también *vivieron* como mártires, soportando persecuciones, exilio, azotes, castigos, abusos, y encarcelamiento lejos de sus hogares y lejos unos de otros. Es importante notar la psicología de esto. Como grupo, ellos se mantuvieron en su fe en la resurrección, pero no todos sufrieron la muerte en grupo. Puede concebirse que un grupo de once hombres, atrapados momentáneamente por una histeria religiosa, pudieran convencerse mutuamente para morir juntos. Pero ellos no hicieron eso. Estos once hombres fueron asesinados a lo largo de un período de cuarenta años, a cientos de millas de distancia unos de otros, y ni uno solo jamás renunció a la afirmación que Jesús había resucitado verdaderamente de entre los muertos. De hecho, ellos dijeron bien claro que más de quinientas personas habían visto al Cristo resucitado, y convencieron a miles más que nunca habían conocido a Jesús para que aceptaran la muerte por creer en la resurrección. Ni uno solo de ellos ganó ningún beneficio terrenal por su creencia. ¿Qué posible motivo hubieran tenido para decir que Jesús había resucitado de entre los muertos si sabían que no lo había hecho? En breve, es totalmente inverosímil que los apóstoles se hubieran robado el cuerpo de Jesús.

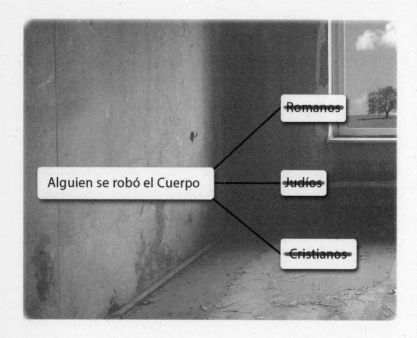

No hay otras opciones. El cuerpo de Jesús ha desaparecido y no hay una explicación – excepto la ofrecida por los apóstoles: "Es verdad: el Señor ha resucitado" (Lc 24:34). Y porque está vivo, se para delante de cada uno de nosotros y nos llama a responder esa misma pregunta que les hizo a Sus apóstoles, la pregunta más importante que jamás se haya hecho en la historia del mundo:

¿Quién Dicen Ustedes Que Soy Yo?

Si ninguna de las distintas explicaciones sobre la identidad de la resurrección de Jesús funciona, entonces la única otra opción es reconocer que las afirmaciones de Jesús son verdaderas: El es Dios y ha sido resucitado de entre los muertos para la salvación del mundo. Y esto nos deja con una decisión profundamente importante. Podemos escoger aceptarlo o rechazarlo. Es nuestra decisión libre; nadie puede tomarla por nosotros. Podemos escoger rechazar a Jesús, o podemos caer de rodillas ante El como lo hizo Santo Tomás y clamar, "¡Mi Señor y mi Dios!"

Si escogemos aceptar a Cristo, escogemos seguirlo como el Señor de nuestra vida. Ya que Jesús es un Rey, tiene que tener un reino. Miraremos a lo que esto significa en el próximo capítulo.

CAPITULO 4

EL REINO DE DIOS EN LA TIERRA

Jesús dio Su vida para quitar los pecados del mundo y reconciliarnos a todos con Dios Padre. Pero siguen haciendo la pregunta, "¿Cómo nos ponemos en contacto con el poder y la verdad de Cristo hoy día, unos 2,000 años después del evento?" La respuesta es que Jesús estableció Su Reino aquí en la Tierra: el Reino de Dios. Eso es lo que significa seguir a Jesús: los cristianos aceptamos a Jesús como el Rey del Universo y Rey de nuestra vida. Cuando lo hacemos, rechazamos los "reinos de este mundo" a favor del Reino de Dios obedeciendo a Jesús como Señor de nuestra vida. Así que ¿cómo dejamos que el Señorío de Jesús se extienda a todos los aspectos de nuestra vida? ¿Qué estamos supuestos a creer? ¿Cómo estamos supuestos a actuar? Las Escrituras nos dicen: "Confía en el Señor con todo el corazón, y no te fíes de tu propia sabiduría. En cualquier cosa que hagas, tenlo presente: El aplanará tus caminos" (Pro 3:5-6).

En otras palabras, Dios desea cambiar nuestra manera de pensar — sobre todas las cosas. Pero ¿cómo podemos saber lo que Dios está pidiéndonos? Sí, El nos dio la Biblia, y debemos formar nuestra manera de pensar según sus enseñanzas. Pero hay muchas interpretaciones distintas de la Biblia. Miles de grupos afirman que sus creencias están basadas en la Biblia y, sin embargo, con frecuencia se contradicen. La pregunta no es "¿qué *dice* la Biblia?" sino "¿qué *significa* la Biblia?" .

Encontrando el Camino Correcto

Afortunadamente, Jesús fundó la Iglesia para que dirigiera a todas las personas hacia la unidad con Dios y entre sé. En el Capítulo 2, cuando consideramos la cuestión de si podemos confiar en la Biblia, apelamos a la historia para encontrar la respuesta. Descubrimos que los escritos de los primeros cristianos dan testimonio del contenido de los textos bíblicos; sus citas de las Escrituras son una evidencia irrefutable de que estos textos no han sido distorsionados a través de los siglos. Estos mismos creyentes también dan testimonio del *significado* de la Biblia. Los primeros cristianos no citaron simplemente los textos sagrados; ellos compartieron un entendimiento común de estos textos y los comentaron. Cuando nos volvemos a los Padres de la Iglesia de los primeros tiempos (por ejemplo, líderes y eruditos cristianos de los primeros siglos), encontramos un amplio acuerdo no sólo acerca de lo que dice la Biblia, sino también acerca de lo que la Biblia significaba. De modo que cuando surge una pregunta sobre un pasaje específico, podemos volvernos a estos testigos importantes. Por sí mismos, los Padres de la Iglesia no tienen la autoridad que tiene la Escritura – pero donde hay un acuerdo amplio y hasta unánime sobre una cuestión en particular de interpretación bíblica, podemos confiar en que hemos encontrado el significado correcto de un pasaje sagrado.

Recuerden, los Padres de la Iglesia estaban en una posición única: Ellos habían sido enseñados por los apóstoles o por compañeros de los apóstoles; ellos compartieron una herencia cultural y lingüística que estaba mucho más cerca de los apóstoles que la nuestra hoy día; y vivieron en un tiempo en el que ser cristiano significaba sufrir por sus creencias. Por lo tanto, cuando estos primeros testigos tienen una perspectiva unánime sobre un texto bíblico en particular, ésta es una evidencia convincente de que su interpretación refleja la enseñanza real de Jesús y Sus apóstoles. Con esto en mente, miremos de nuevo a quién es Jesús y qué vino a hacer.

El Rey Tiene un Reino

Pedirle a Jesús que sea el Señor de su vida lo cambia todo; cada aspecto de su vida está definido ahora por su completa lealtad a Él. En efecto, el mundo entero puede ser dividido en aquéllos que viven su vida con lealtad a Cristo y aquéllos que no. Piensen en eso: El mismo Dios que creó el universo y gobierna el cosmos ha venido a ustedes para buscar su lealtad personal. Jesús no está pidiéndonos simplemente que reconozcamos que existe o que hace tiempo hizo buenas obras en una tierra lejana. Él está diciéndonos que está vivo y presente *ahora* y que quiere entrar en una relación con nosotros.

Estar en una relación con El es la clave para todo. Al empezar a vivir en Su Señorío, nos damos cuenta exactamente de cuán lejos las cosas han ido mal en el mundo.

Originalmente, la humanidad fue puesta aquí por un Padre amoroso. Estábamos supuestos a vivir en unidad con Dios y unos con otros, pero el mundo ha sufrido una revuelta – y las consecuencias han sido devastadoras. Lo que se suponía que fuera nuestro hogar se ha convertido en un campo de batalla. No sólo el mundo se ha olvidado de nuestro Creador, sino que cada uno de nosotros ha participado en esta revuelta. Piensen en las muchas veces que hemos escogido ignorar – o hasta rechazar – los caminos de Dios. Cada uno de nosotros lleva las heridas de esta rebelión: guerras, hambre, enfermedades, injusticia, y odios son consecuencias de esta guerra. El pecado nos hace esclavos de nuestras pasiones, y nos encontramos buscando los placeres de este mundo sin ningún sentido de que hemos sido hechos para algo más – para la grandeza y el gozo perdurables. Cobramos nuestro sentido cuando oímos el llamado de Jesús, "Conviértanse, porque el Reino de los Cielos está ahora cerca" (Mt 4:17).

Es notable que la vida entera de Jesús fuera ordenada alrededor de la proclamación de Su Reino. El empezó Su ministerio proclamándolo y pasó Sus días predicando sobre cómo es Su Reino (vean Mt 13:31, 13:44, 13:47, 20:1). Fue a Su muerte, crucificado como "el rey de los judíos" (Jn 19:19), y desde Su resurrección y ascensión que ha sido reconocido como el "Rey de reyes" (Ap 19:16).

El hecho que Jesús es un rey no es una noticia en el Cielo, donde los ángeles le dan gloria continuamente. El aspecto notable de la "buena nueva" (que es lo que *evangelio* significa) es que Jesús vino a la Tierra para establecer un "puesto de avanzada" de Su Reino *aquí* en medio de la rebelión. Cualquiera que desee unirse a El puede cambiar su alianza con un mundo que está desapareciendo al Reino que nunca terminará.

El trabajo preliminar para la venida del Reino de Dios había sido preparado muchos años antes cuando Dios liberó a Su pueblo escogido, Israel, de la esclavitud en Egipto, lo llevó a la Tierra Prometida, y lo hizo un reino. En ese momento, unos mil años antes del nacimiento de Jesús, Dios estableció a David en Jerusalén como rey de Su pueblo. En el reino de David vemos los planos del Reino eterno que Dios traería a través de la largamente predicha figura del "Hijo de David" – Jesús.

Jesucristo, el Hijo de David

Por supuesto, Jesús no nació en un vacío histórico. El viene de un pueblo con una larga y rica herencia – un gran pueblo que, para el tiempo de Jesús, había caído en momentos difíciles. Los judíos miraban hacia atrás con ansias de una "época dorada" y miraban hacia delante con la esperanza del surgimiento de un gran rey y de su restaurado reino.

Esta época dorada tuvo lugar mil años antes, cuando el Rey David asumió el trono. Esos fueron los tiempos buenos, cuando Dios había establecido a David para que guiara a Israel y a las otras naciones del mundo. Dios también juró "afirmaré su trono real [el de David] para siempre" (2 Sam 7:13-16). Desafortunadamente, los buenos tiempos no duraron, y a través de los siglos Israel fue derrotado, deportado, devuelto, atropellado y, finalmente, ocupado por los romanos. Pero a través de todo esto, el pueblo judío se aferró a la promesa que le hizo Dios a David: que un día, uno de los descendientes de David surgiría y establecería un Reino perdurable.

El "Hijo de David" tiene distintos títulos en los escritos de los profetas que vivieron en los siglos anteriores a Jesús, pero el más famoso es *Mesías* (o *Christos* en Griego), que significa "el ungido" (vean Is 61:1). Cuando Jesús responde al título "Hijo de David" (como lo hace a lo largo de los Evangelios), está aceptando el título del Rey Mesiánico, el Cristo. Asimismo, cuando entra en Jerusalén montado en un burro el Domingo anterior a la crucifixión, está aceptando lo mismo, porque eso es exactamente lo que el Rey Salomón, el primer "hijo de David", había hecho cuando entró en su reino (1Reyes 1:38-40). El pueblo judío sabía esto y lo recibió con gritos de "hosanna al Hijo de David".

De modo que ¿cómo luce el reino del Hijo de David – el Reino de Dios? Para tener algunas ideas, debemos recordar lo que hizo el mismo Cristo resucitado mientras iba por el Camino de Emaús con dos de Sus seguidores: "Y les interpretó lo que se decía de él en todas las Escrituras, comenzando por Moisés y siguiendo por los profetas" (Lc 24:27).

Jesús les dijo a Sus discípulos que El estaba cumpliendo lo que Dios había dicho a través del Antiguo Testamento:

Entonces les abrió la mente para que entendieran las Escrituras. Les dijo: 'Todo esto estaba escrito: los padecimientos del Mesías y su resurrección de entre los muertos al tercer día. Luego debe proclamarse en su nombre el arrepentimiento y el perdón de los pecados, comenzando por Jerusalén, y yendo después a todas las naciones, invitándolas a que se conviertan. Ustedes son testigos de todo esto. (Lc 24:45-48).

En breve, Jesús invitó a los que lo escuchaban a pensar en la historia de Israel — incluyendo el reino de David — para que ellos comprendieran Su Reino. En otras palabras, El está diciendo que cuando le decimos "sí" a El y reconocemos que El es Dios Hijo en carne humana, resucitado de entre los muertos, esto envolverá más que una conversación personal y privada simplemente; envolverá unirnos con todas las otras personas que lo reconozcan como rey. En realidad, si aceptamos a Jesús como rey, también tenemos que aceptar Su Reino. No podemos abrazar al Rey mientras rehusamos abrazar Su Reino.

Así que ¿dónde está este Reino hoy día? ¿Cómo podemos reconocerlo y entrar en él? Antes de que podamos responder estas preguntas sobre el Reino de Jesús, necesitamos examinar algunos de los aspectos esenciales del reino de David. Miremos a tres instituciones fundamentales que formaron la dinastía real: el rey, el primer ministro, y la reina madre.

El Rey

David fue un rey grande y poderoso, pero lo que hizo el reino de David tan asombroso fue la extraordinaria promesa de Dios que uno de sus descendientes surgiría y sería aún más grande que él.

> Levantaré después de ti a tu descendiente, al que brota de tus entrañas y afirmaré su realeza. El me construirá una casa y yo, por mi parte, afirmaré su trono real para siempre. Seré para él un padre y él será para mí un hijo. (2 Sam 7:12-14).

Durante tiempos difíciles, Israel se aferró a la esperanza que Dios finalmente cumpliría Su promesa y enviaría un gran rey – el Mesías – para salvarlos de sus enemigos. El traería la verdad de Dios a los israelitas y a todas las naciones, y su reino no tendría fin.

> Porque un niño nos ha nacido, un hijo se nos ha dado; le ponen en el hombro el distintivo del rey y proclaman su nombre: "Consejero admirable, Dios fuerte, Padre que no muere, príncipe de la Paz". El imperio crece con él y la prosperidad no tiene límites, para el trono de David y para su reino: El lo establece y lo afianza por el derecho y la justicia, desde ahora y para siempre. (Is 9:5-6)

Distinto a cualquier otro reino en la historia del mundo, el reino prometido a David se extendería no sólo hasta los límites de Israel, sino hasta los confines de la Tierra y hasta el fin de los tiempos.

Cuando David se convirtió en rey, podría haber gobernado desde cualquier ciudad, pero escogió a Jerusalén. ¿Por qué? La respuesta se puede ver en las acciones de David. Cuando entró a su reino, él hizo dos cosas cruciales. Primero, quitó el Arca de la Alianza, la caja dorada que contenía los fragmentos de los Diez Mandamientos dados a Moisés por Dios en el Monte Sinaí, de un templo situado millas al norte y lo llevó a Jerusalén. Como el gran signo de la alianza mosaica, era el objeto más santo en todo Israel. Mientras el Arca avanzaba por el camino, David bailaba ante él en un manto especial llamado *efod*. Como parte de la renovación de la alianza con Dios, él le ofreció regalos de pan y vino al pueblo (2 Sam 6).

Lo que es único aquí es que David, el rey, estaba vestido y actuando como un sacerdote. Ese es el significado del *efod* y de las ofrendas de pan y vino. De hecho, él estaba actuando como otro rey-sacerdote que había gobernado Jerusalén mucho antes: Melquisedec, quien había ofrecido los mismos regalos de pan y vino cuando el antiguo antepasado de David, Abraham, regresó de una gran batalla (Gén 14:17-20). El Rey David se vio como un rey sacerdote, ofreciendo pan y vino al igual que hiciera Melquisedec. Al igual que Melquisedec, su reino combinó el palacio real del rey con el sagrado templo del sacerdote de una manera nueva.

El Primer Ministro

Desde la antigüedad, con frecuencia los reyes han tenido un primer ministro para que gobierne los asuntos temporales, y David no fue una excepción. El primer ministro o *al-bayit* ("el cabeza de familia"), era un hombre segundo al rey que poseía la autoridad del rey. Vemos esto, por ejemplo, en Isaías 22, cuando Dios le concede este puesto a un hombre llamado Eliaquim:

> A Eliaquim, hijo de Helcías, le pasaré tu traje, le colocaré tu cinturón, y le confiaré tu cargo. Y será un padre para los habitantes de Jerusalén y para la familia de Judá. Pondré en sus manos la llave de la Casa de David; cuando él abra, nadie podrá cerrar, y cuando cierre, nadie podrá abrir. Lo meteré como un clavo en un muro resistente y su puesto le dará fama a la familia de su padre (Is 22:20-23).

Como rey del pueblo escogido de Dios, David fue un padre para el pueblo que gobernó. Ahora, su papel de padre es compartido con el *al-bayit*. Una vez que se convirtió en primer ministro, Eliaquim también tuvo un papel paternal. Y con ese papel paternal vienen la autoridad (simbolizada por las llaves) y el honor (simbolizado por el trono).

La Reina Madre

Otro puesto vital en el reino de David era el de reina madre. En la Escritura se nos dice que cada uno de los reinos de David tenía una reina. Lo que es inusual acerca de la reina desde nuestra perspectiva moderna es que la reina nunca era la *esposa* del rey, sino que siempre era su *madre*. Cada madre real, o *gebirah*, reinaba con su hijo y tenía el papel principal de llevar las peticiones ante el rey para que él pudiera gobernar. Consideren la siguiente escena del reinado de Salomón:

> Betsabé entró en la casa de Salomón para transmitirle el pedido de Adonías. El rey salió a recibirla, se inclinó delante de ella y luego se sentó en su trono. Pusieron un trono para la madre del rey, la que se sentó a su derecha.
> (1 Reyes 2:19)

El puesto de la reina madre está ejemplificado en este pasaje. La reina madre va a su hijo, el rey, para hablar a nombre de otra persona. El rey honra a su madre levantándose al entrar ella en el salón y haciéndole una reverencia. Aunque él es el rey, ella aún es su madre y él esta obligado por el cuarto mandamiento: Honra a tu padre y a tu madre. Este honor mostrado a la reina madre es extraordinario, ya que el rey no se inclinaría ante nadie más. Hasta sus esposas tenían que hacer una reverencia ante él (1 Reyes 1:16). La reina madre usa su posición de honor para interceder por otras personas. Todos los miembros del reino pueden llevar sus preocupaciones ante el rey, pero cuando su madre intercede por ellos, sus peticiones son elevadas ante él.

El Rey y Su Reino

Con este breve resumen del reino de David en mente, volvamos ahora a Jesús y a Su proclamación del Reino de Dios.

El primer versículo del Nuevo Testamento (Mateo 1:1) presenta a Jesús como el Hijo de David y, como hemos visto, el reino de David estableció estructuras que Jesús y Sus seguidores habrían entendido y dado por hecho. De modo que es solamente natural que cuando el Hijo de David – Jesús – establece Su Reino por medio de Su muerte y de Su resurrección, veamos a Su reina madre y a su primer ministro tomando también su lugar alrededor de El.

Por ejemplo, notamos que en el Evangelio de Mateo, Jesús parece esconder su identidad durante mucho de Su vida pública. Solamente después que Pedro lo reconoce abiertamente como el Cristo (Mt16:16) comienza Jesús a declarar abiertamente Su identidad como el Hijo de David y le concede a Pedro las "llave del reino", un gesto simbólico por el cual Jesús establece a Pedro como primer ministro de Su nuevo y perdurable Reino. No es una coincidencia que las "llaves" también son mencionadas en la referencia al primer ministro Eliaquim, en Isaías 22. Los Padres de la Iglesia vieron este patrón y dijeron lo mismo. Jesús, el Hijo Mesiánico de David, esta construyendo Su Reino sobre el modelo de su padre David, y él también tendría un primer ministro que podría actuar con la autoridad delegada en él por Cristo.

De la misma manera, cualquier israelita hubiera entendido las implicaciones cuando María, quien está embarazada de Jesús, es saludada por su prima Isabel en Lucas 1:39-56, exclamando, "¿Cómo he merecido yo que venga a mí la madre de mi Señor?" Esta frase "madre de mi Señor" es el saludo antiguo para la reina madre. Al reconocer a María como reina, Isabel está declarando al mismo tiempo que el bebé en el vientre de María es el Mesías. El honor que se rinde a la reina madre es siempre un honor rendido a su hijo, el rey.

Lo que Todo esto Significa para Ustedes

Hay una característica más en el Reino de Dios que no podemos pasar por alto: ustedes. El Reino no es un reino ordinario, y ustedes no son unos súbditos ordinarios. Ustedes son la realeza. Este es el reino de la Nueva Alianza. Pero, ¿qué es una "alianza" exactamente?

Una alianza es un lazo sagrado de relación. Desde los tiempos bíblicos hasta el presente, las alianzas han sido usadas para formar familias. Dos formas clásicas de alianzas son la adopción y el matrimonio. Tan profundo es el cambio que conlleva una alianza que es muy parecido a la diferencia entre la esclavitud y el estado de hijo, o la prostitución y el matrimonio. En la esclavitud y en la prostitución, las personas se *usan* mutuamente con un propósito egoísta. En el estado de hijo y en el matrimonio, las personas *pertenecen* unas a otras en una unión que da vida.

Las relaciones de alianzas son ricas y de muchas dimensiones. Consideren mi relación con mi esposa. Nosotros somos más que buenos amigos; somos familia. Compartimos un lazo de parentesco sagrado. Ella no es solamente mi novia; ella es mi esposa. Y porque nuestra relación es una alianza, no para ahí: sus padres se han convertido en *mis* padres. Sus hermanas se han convertido en *mis* hermanas. Debido a la naturaleza de alianza de una relación, no se trata solamente de mi esposa y yo sino de todos nosotros. Mis hijos tienen dos parejas de abuelos, y los padres de mi esposa son tanto los abuelos de mis hijos como lo son mis padres. Nuestra alianza ha hecho una familia de personas que no habían sido familia. Igualmente, la Nueva Alianza no sólo nos une a nosotros a Dios; sino que nos reúne a nosotros mutuamente.

Así que si una alianza forma lazos familiares, ¿cómo se hacen las alianzas? A través de la historia, se han formado alianzas por medio de rituales y liturgias sagrados. Esencialmente, hay dos partes:

1. Un *juramento sagrado*, que llama a Dios para aferrar a cada parte a la fidelidad y para ayudarlas en su nueva relación. En el matrimonio, ésta es la promesa jurada de ser fieles y estar abiertos a la vida "y que Dios me asista".

2. Un *acto ritual* que manifiesta la naturaleza de los juramentos. En el Bautismo, éste es el derramar agua, o la inmersión en agua, agua que simboliza la muerte y el renacer; ésta da lugar al renacer y a la adopción como hijos e hijas de Dios.

Los rituales de alianzas son tan antiguos como lo registra la historia humana, pero lo que es único acerca de la tradición judeo-cristiana es que no se llama a Dios simplemente para que *dé testimonio* de la alianza; El es un *participante*. La palabra hebrea para "juramento" (*shevua*) es la raíz de la palabra que significa "siete" (*sheva*). La Nueva Alianza está basada en siete rituales de juramentos sagrados por los cuales Jesús, el Rey, comparte Su propia vida con Sus seguidores. En latín, la palabra para "juramento" es *sacramentum*. La Nueva Alianza está basada en siete juramentos o sacramentos. Dios está llamándonos para algo mucho más que una alianza política. El está llamándonos para una relación aliancista. La manera en que cada uno de nosotros entra al Reino es por adopción – por medio del renacimiento del Bautismo. Cada uno de nosotros es llamado a ser hijo del Rey. Jesús ha escogido impartir Su vida a través de los sacramentos de la Nueva Alianza. Por estos juramentos y rituales litúrgicos, no somos súbditos simplemente; nos hemos convertido en familia.

Esto tiene implicaciones asombrosas. Esto significa que Dios no es solamente nuestro Rey, sino que es nuestro Padre. No estamos tan sólo gobernados por El; somos amados por El. En efecto, la relación es la misma esencia del Reino. Así como tenemos una relación personal con Jesús, el Rey, somos llamados a una lealtad personal hacia Su primer ministro. Este puesto, dado a Pedro y a sus sucesores, le permite al primer ministro actuar en nombre del Rey; por lo tanto, el primer ministro manifiesta, asimismo, un papel paternal. Esto es exactamente lo que nos dicen las Escrituras cuando leemos sobre el primer ministro que "será un padre para los habitantes de Jerusalén" (Is 22:21). Eso es también por qué el sucesor de San Pedro, el primer ministro, es llamado el "papa" (de "papá"). El Papa es padre para todos los seguidores terrenales de Cristo en la Tierra. Nuestra lealtad común hacia él es una *característica familiar* que sirve para preservar la unidad en la Iglesia, la cual es el

Reino de Dios en la Tierra.

Las relaciones no paran aquí. Si somos hijos adoptivos de Dios, entonces Jesús nos ha dado a *Su* Padre como *nuestro* Padre. Y, si Su Padre es nuestro Padre, entonces Su madre también tiene que ser nuestra madre. Esto es precisamente lo que Jesús le dice a Su discípulo amado cuando, desde la cruz, le declara, "Ahí tienes a tu madre", y le dice a María, "Ahí tienes a tu hijo!" (Jn 19:26-27). La reina madre también es nuestra madre, porque nos hemos convertido en hijos adoptivos del Padre. Ella vive para ejercer su cuidado maternal y real por nosotros ante el Rey.

Piensen en esto. Nosotros no somos huérfanos "salvados" simplemente; nosotros hemos sido restaurados como plenos miembros de la familia – de hecho, ¡como miembros de la familia real misma! Si tenemos a Dios por Padre, entonces cada uno de nosotros tiene a María por Madre, y, justo al igual que el Rey, somos llamados a honrarla por el mandamiento a honrar a nuestra madre. Este honor es profundo, pero es completamente distinto a la adoración que se le da a la Santísima Trinidad únicamente. Adoramos a Cristo, que es Dios hecho hombre, y lo imitamos honrando a Su Madre.

Así que los Evangelios son la historia de Jesús y de quienes lo rodean estableciendo conscientemente el Reino Universal del Hijo de David, y es por este Reino que Él será crucificado. Mas Su muerte no es la última palabra para este Hijo de David. Como veremos, después que Él resucita de entre los muertos, Su Reino comienza a extenderse por todo el mundo, transformando no naciones, reinos, civilizaciones, y culturas simplemente, sino a cada uno de nosotros desde adentro por el poder de Sus Sacramentos, por medio de la obra del Espíritu Santo.

CAPITULO 5

LA VIDA EN EL REINO

Jesús vino a buscar y a salvar a los perdidos estableciendo el Reino de Dios. Puede ser que nos sorprenda la manera en que Jesús emprende la edificación de Su Reino. A través de los Evangelios, la gente descubre continuamente su dignidad real: Isabel y su hijo aún no nacido, Juan el Bautista, identifican al Hijo de David antes de que naciera (Lc 1:41-44). Los profetas Simeón y Ana reconocen al Rey Mesías cuando sólo tenía unos días de nacido (Lc 2:25-38), y los Reyes Magos vienen desde el Oriente para honrar al Niño Rey (Mt 2:1-12). Una vez que Jesús comienza Sus enseñanzas y Su sanación, las personas lo reconocen como el Hijo de David. Hasta los demonios lo reconocen como el Mesías (Mc 1:23-26). Lo raro no es que las personas reconozcan a Jesús por quién El es, sino que El responda como lo hace.

El largamente esperado Hijo de David parece estar casi renuente a permitir que lo hagan. Pasa mucho de Su ministerio público en villas apartadas, yendo a Jerusalén – la ciudad del rey – solamente para celebraciones religiosas y abandonándola rápidamente. Obra milagros; pero, con frecuencia les dice a los que ha curado que no le digan a nadie cómo pasó. ¿Por qué obrar milagros, atraer la atención de la gente que lo busca, y entonces evitar y hasta escapar de la misma gente que lo coronaría como Rey? Porque Jesús sabe que su fe en El, aunque real, es sólo el comienzo. Aceptar al Rey y a Su Reino requerirá una fe fortalecida desde lo alto. El tiene que transformarnos de adentro a afuera.

Ya hemos visto cómo la estructura de este nuevo y perdurable Reino se parece al Reino de David. Seguramente, Jesús tiene el reino de David en la mente; pero El había venido a traer mucho más. Aunque Dios nos ha dado una idea de lo que El ha preparado para nosotros, lo que El realmente desea traer está más allá de nuestra imaginación y de nuestras esperanzas. No captaremos en lo absoluto lo que es el Reino si limitamos a Dios a lo que imaginamos o esperamos; como los profetas proclamaron hace tiempo: "Pues sus proyectos no son los míos, y mis caminos no son los mismos de ustedes, dice el Señor" (Is 55:8).

Las estructuras externas del Reino – el rey, el primer ministro, y la reina madre – se supone que apoyen una profunda transformación que tiene que producirse en cada uno de nosotros – un cambio completo que será místico, litúrgico, y encarnado; Jesús instituirá juramentos sagrados y actos rituales que nos comuniquen el poder divino por medios de los cuales ambos simbolicen lo que hacen y hagan lo que simbolizan. En otras palabras, el Reino será *sacramental*.

Para ver esto con mayor claridad, miremos el Evangelio de

Juan. Aquí vemos que el ministerio público de Jesús tiene lugar de una manera que está cuidadosamente ligada a las fiestas litúrgicas y a los días de precepto del calendario litúrgico de los judíos. El judaísmo es una fe litúrgica que marca el paso del tiempo con varias celebraciones religiosas. Jesús usó el ritmo de estos eventos sagrados en el curso de Sus tres años de ministerio para destacar Sus intenciones para el Reino.

Tres Pascuas (Passover)

De todas las celebraciones judías, la más central era la Pascua. Cada Pascua servía para recordar los eventos del pasado y anticipar las bendiciones futuras. En la Pascua, se le recordaba al pueblo judío su propia identidad como pueblo escogido de Dios. Los judíos fieles harían una peregrinación a Jerusalén para la gran fiesta. *El Poema de las Cuatro Noches / The Poem of the Four Nights* es un escrito judío antiguo que fue usado en la liturgia de la sinagoga.[5] Según este poema, la Pascua celebraba cuatro grandes eventos, tres de los cuales ya habían ocurrido para el tiempo de Jesús.

Los tres primeros grandes eventos que se celebraban durante la Pascua eran la creación del universo, el llamado del patriarca Abraham, y el Exodo encabezado por Moisés. El cuarto, aún esperado en el tiempo de Jesús, era la venida del Mesías quién traería la redención. Cada Pascua, pues, servía para recordarle al pueblo escogido de

---

[5] Targum Neophyti. Vean Neophyti I, vol 2. (Madrid-Barcelona, 1970) 312-13, como está citada en Lucien Deiss, *It's the Lord's Supper / Es la Ultima Cena del Señor* (Londres: Collins, 1975),35

Dios Su cuidado en el pasado y para destacar sus expectativas para la venida del Mesías.

Durante los tres años de Su ministerio público, Jesús prepara a sus seguidores cuidadosamente para recibir Su Reino. Si seguimos a Jesús a través de las tres celebraciones de la Pascua que tienen lugar durante Su ministerio público, lo vemos establecer la Nueva y Perdurable Alianza, que daría lugar al Reino de Dios. Todo lo que Jesús dice y hace lleva a Sus seguidores a confiar en El más profundamente. Tal confianza es absolutamente esencial porque lo que Jesús ha venido a traer es muchísimo más que lo que alguien hubiera podido imaginar. Jesús nos muestra la naturaleza esencial de los Sacramentos — cómo tomará nuestra fe y la transformará en algo más, algo sobrenatural.

El Comienzo del Reino – El Bautismo

El Evangelio de Juan comienza con el Bautismo de Jesús. Siguiendo a Su Bautismo, Jesús obra Su primera maravilla — el cambio del agua en vino en las Bodas de Caná. Los otros Evangelios describen típicamente las obras poderosas de Jesús como milagros, y eso son; pero Juan destaca el hecho que estos milagros no son simplemente asombrosos, sino "signos" supuestos a señalarnos la realidad más profunda que significan. Si vemos la maravilla pero no captamos el *signo*, no entenderemos nada en absoluto. Seremos como alguien que mira fijamente la punta del dedo que apunta en lugar de mirar a lo que el dedo está apuntando.

Durante Su ministerio público, Jesús destaca los aspectos sagrados y divinos del Reino en cada una de las tres Pascuas. En el Evangelio de Juan, la primera de estas Pascuas tiene lugar después de Su primer signo en las Bodas de Caná, cuando Jesús va a Jerusalén. Durante esta primera Pascua, Jesús revela el primero de los Sacramentos que El quiere para Sus seguidores: el Bautismo.

Jesús, el Rey, entra en Su ciudad real, limpia el Templo de cambistas, y declara: "¡Destruyan este templo, que yo lo levantaré en tres días!" (Jn 2:19). Las acciones audaces y los signos milagrosos que El realiza llevan a la gente a creer en El; pero Su respuesta a esta nueva popularidad nos mostrará que El está buscando más que una fe o un reconocimiento meramente humanos. El está llamando a Sus seguidores a una alianza – a un lazo familiar sagrado – no a una amistad simplemente. Vamos a ver qué pasa cuando uno de los líderes judíos va a Jesús:

> Jesús se quedó en Jerusalén durante la fiesta de la Pascua, y muchos *creyeron* en él al ver las señales milagrosas que hacía. Pero Jesús no se *fiaba* de ellos, pues los conocía a *todos* y no necesitaba pruebas sobre nadie porque él conocía lo que había en el *hombre*.
>
> Entre los fariseos había un personaje judío llamado Nicodemo. Este fue de noche a ver a Jesús y le dijo: 'Rabbi, sabemos que has venido de parte de Dios como maestro, porque nadie puede hacer señales milagrosas

como las que tú haces, a no ser que Dios esté con él'. (Jn
2:23 – 3:2, énfasis añadido)

Algo raro está pasando aquí. La gente creía en Jesús, lo cual
parecería ser precisamente lo que El quería. ¿No es eso por lo que
El vino? ¿No es eso por lo que El obró Sus signos? Pero Jesús no se
fiaba de ellos. La palabra griega por *creer* y *confiar* es la misma (*pisteuo*).
La gente creía en Jesús, pero El no creía en ellos. En otras palabras,
la fe es necesaria; pero la fe sola no es suficiente; se necesita algo
más.

Este es un gran momento. Jesús ha llegado a la ciudad del rey el
día de la gran fiesta de la Pascua. Jerusalén debe haber estado lleno
del pueblo escogido de Dios, quienes ansiaban la venida del Mesías.
En este contexto, Jesús obra milagros y limpia el Templo, y muchos
creen en El. Entre estos primeros creyentes se encuentra Nicodemo,
un gobernante de los judíos. Parecería que la aceptación de Jesús por
un miembro importante de la clase gobernante con seguridad sería
un momento básico para el Reino.

Sin embargo, Jesús está esperando algo más. El le dice a
Nicodemo: "En verdad te digo que nadie puede ver el Reino de
Dios si no nace de nuevo de lo alto" (Jn 3:3).

Entrar en el Reino de Dios toma fe – pero más que fe simplemente.
Para entrar al Reino tenemos que renacer espiritualmente.

Jesús continúa, "En verdad te digo: El que no renace del agua y
del Espíritu no puede entrar en el Reino de Dios" (Jn 3:5).

Jesús no rechaza la fe de Nicodemo, pero lo llama a algo más–

al renacimiento del Bautismo. Para ver con más claridad lo que Jesús quiere decir, podemos mirar el contexto de este pasaje en la Escritura y el testimonio de la historia.

Siempre es necesario leer la Escritura en contexto. Jesús dice que tenemos que "nacer del agua y del espíritu". ¿Hay alguna otra referencia al "agua" y al "espíritu" en el Evangelio de Juan? Se nos dice que Jesús es bautizado en el agua del Jordán y el espíritu descendió sobre El (Jn 1:26-32, así como Mt 3:16; Mc1:9-11; Lc 3:21-22). Inmediatamente después de esta interacción con Nicodemo, se nos dice que Jesús y Sus discípulos estaban bautizando a otras personas.[6] Por lo tanto, el contexto indica que Jesús está hablando sobre el Bautismo. Si queremos entrar en el Reino, tenemos que convertirnos en hijos de Dios; tenemos que ser adoptados dentro de la familia real del Gran Rey. El Bautismo es el acto de alianza por el cual volvemos a nacer como hijos adoptivos de Dios.

Esto es precisamente lo que el testimonio de la historia nos muestra. Por ejemplo, San Pedro nos dice que el Bautismo perdona los pecados: "Pedro les contestó: 'Arrepiéntanse, y que cada uno de ustedes se haga bautizar en el Nombre de Jesús, el Mesías, para que sus pecados sean perdonados. Entonces recibirán el don del Espíritu Santo'" (Hechos 2:38).

---

[6] Algunos pueden cuestionar la conexión del Bautismo con el Espíritu Santo, citando a Juan 7:39, que afirma que "Todavía no se comunicaba el Espíritu, porque Jesús aún no había entrado en su gloria". Pero esta declaración en realidad afirma que el Espíritu sería dado después de la resurrección. Cada uno de los Sacramentos de la Nueva Alianza deriva su poder de la muerte y la resurrección de Jesús.

San Pablo nos dice que somos salvados y regenerados (es decir, *renacemos*) en el Bautismo:

> Pero se manifestó la bondad de Dios, nuestro Salvador, y su amor a los hombres; pues no fue asunto de las buenas obras que hubiéramos hecho, sino de la misericordia que nos tuvo. El nos salvó por el bautismo que nos hacía renacer y derramó sobre nosotros por Cristo Jesús, nuestro Salvador, el Espíritu Santo que nos renovaba. Habiendo sido transformados por gracia, esperamos ahora nuestra herencia, la vida eterna (Ti 3:4-7).

La enseñanza de la Iglesia sobre la necesidad del Bautismo ha permanecido constante a través de la historia. En el siglo II, el apologista cristiano Tertuliano escribió:

> Como de hecho está prescrito que nadie puede alcanzar la salvación sin Bautismo, especialmente en vista de esa declaración del Señor, quien dice: "A menos que un hombre nazca del agua, no tendrá vida.[7]

Y en el siglo III, el filósofo cristiano Origen añadió:

---

[7] Tertuliano, *On Baptism / Sobre el Bautismo,* Cap. 12. Trans., Rev. S. Thelwall. http://www.newadvent.org/fathers/0321.

> La Iglesia recibió de los apóstoles la tradición de dar el Bautismo hasta a los infantes. Porque los apóstoles a quienes fueron encomendados los secretos de los misterios divinos, sabían que en todos existen las manchas innatas del pecado, las cuales tienen que ser lavadas por medio del agua y del Espíritu.[8]

Esto marca una revelación del primero de los Sacramentos que serán establecidos en la Nueva Alianza. Pero Jesús aún tiene más en mente.

El Corazón del Reino – La Eucaristía

Pasa un año, y vemos la segunda Pascua del ministerio público de Jesús. Así como Jesús dio un gran signo el año anterior cambiando el agua en vino (Jn 2:1-12), este año mientras enseñaba a las multitudes, manifestó Su poder por medio de otro gran signo (Jn 6:1-15). El toma unos panes y un par de pescados y alimenta a más de cinco mil personas (sin contar a las mujeres y a los niños). Como nota la multitud que sigue a Jesús, el milagro de los panes les recuerda cuando Dios alimentó al pueblo de Israel en tiempo de Moisés con pan del Cielo (Jn 6:30-31; también vean Ex 16). Desde una perspectiva meramente natural, éste sería el momento perfecto para que Jesús se declarara. El Hijo de David ha venido a edificar Su

---

[8]Origen, Commentary on the Epistle to the Romans / Comentario Sobre la Epístola a los Romanos

Reino y Su pueblo quiere hacerlo rey.

La multitud está lista para hacer rey a Jesús con sus condiciones. Sin embargo, las personas que siguen a Jesús ven la maravilla, pero no el signo. El quiere alimentar sus almas hambrientas, pero ellos sólo ven el pan terrenal. Ellos preparan tomar a Jesús y hacerlo rey, en espera de un gobernante que les provea un abastecimiento interminable de alimentos. Y, de nuevo, desde una perspectiva meramente natural, parecería que, con seguridad éste es el momento para que El se declare. Jesús, el Hijo de David, está siendo buscado por Su pueblo. El ha venido a edificar Su Reino, y ellos quieren hacerlo rey. Parecería ser la oportunidad perfecta. Sin embargo, ¿qué hace Jesús? ¡Huye!

Un año antes, vimos a un líder judío, Nicodemo, buscando entrar en el Reino, pero Jesús le dijo que se necesitaba más que la fe humana: él tiene que volver a nacer en el Bautismo. Ahora, un año después, las multitudes están listas para hacer rey a Jesús, y nuevamente El les muestra que la fe y el deseo humanos son buenos pero que algo más les espera. Ese algo es, de nuevo, tanto de alianza como místico: él nos llama al Sacramento de la Eucaristía. Una vez que las multitudes se calman, Jesús regresa y les dice:

> "Yo soy el pan de vida. Sus antepasados comieron el maná
> en el desierto, pero murieron: aquí tienen el pan que baja
> del Cielo, para que lo coman y ya no mueran. Yo soy el
> pan vivo que ha bajado del Cielo. El que coma de este pan
> vivirá para siempre. El pan que yo daré es mi carne, y lo

daré para la vida del mundo". Los judíos discutían entre sí: '¿Cómo puede éste darnos a comer su carne?' Jesús les dijo: 'En verdad les digo que si no comen la carne del Hijo del Hombre y no beben su sangre, no tienen vida en ustedes. El que come mi carne y bebe mi sangre vive de vida eterna, y yo lo resucitaré el último día. Mi carne es verdadera comida y mi sangre es verdadera bebida. El que come mi carne y bebe mi sangre permanece en mí yyo en él, Como el Padre, que es vida, me envió y yo vivo por el Padre, así quien me come vivirá por mí". (Jn 6:48-57) Un año antes, Nicodemo había venido con fe pero sin entender. Ahora, las multitudes que querían forzar a Jesús a convertirse en un rey terrenal están igualmente confusas y hasta escandalizadas. Ellos reaccionan: "¡Este lenguaje es muy duro! ¿Quién querrá escucharlo?" (Jn 6:60)

En efecto, la gente comienza a irse. Pero en lugar de correr detrás de ellos y explicar que Sus palabras estaban supuestas a ser tomadas solamente en un sentido figurado, Jesús los deja ir. Entonces, El se vuelve y les pregunta a Sus discípulos: "¿Quieren marcharse también ustedes?" (Jn 6:67).

Pedro responde con más que una fe humana, el no sabe cómo interpretar las palabras del Señor, pero ha llegado a confiar en El plenamente. Simplemente, responde: "Señor, ¿a quién iríamos? Tú tienes palabras de vida eterna. Nosotros creemos y sabemos que Tú eres el Santo de Dios". (Jn 6:68-69).

Pedro ha llegado a comprender la realidad más profunda a la que los signos apuntan: Jesús es el Santo de Dios. El está dispuesto a confiar en Jesús aunque todavía no comprende lo que Jesús está diciéndoles. Pedro y los otros apóstoles están siguiendo a su rey mientras se prepara para manifestar Su Reino.

¿Cómo puede Pedro ser capaz de hacer lo que Nicodemo y los cinco mil no pueden hacer aún? Solamente confiando en Jesús y aceptando la ayuda de Dios. Al hacerlo, Pedro se vuelve más sí mismo, no menos.

> Sólo es posible creer por la gracia y los auxilios interiores
> del Espíritu Santo. Pero no es menos cierto que creer
> es un acto auténticamente humano. No es contrario ni
> a la libertad ni a la inteligencia del hombre depositar
> la confianza en Dios y adherirse a las verdades por Él
> reveladas. (*CCC* 154)

Pedro, y los otros apóstoles todavía tendrán que esperar un año más – hasta la próxima y última Pascua de Jesús - antes que el significado de las misteriosas palabras de Cristo concernientes a Su cuerpo y Su sangre se aclaren completamente.

La Misericordia del Reino – La Confesión

La tercera y última Pascua encuentra a Jesús de nuevo en Jerusalén. Una vez más Jesús es reconocido como Rey, y esta vez por una multitud. Mientras entra en la Ciudad Santa cabalgando en un asno, ellos claman: "¡Hosanna al Hijo de David! ¡Bendito sea el que viene en el Nombre del Señor! ¡Hosanna en lo más alto de los cielos!" (Mt 21:9).

La sabiduría de Jesús se está haciendo clara. Anteriormente, cada vez que la gente mostró fe en El, El se retraía y les señalaba algo más profundo — y cada vez las multitudes aumentaban, así como su celo por el Reino. Con seguridad, ahora es el momento. Con seguridad, ahora Jesús aceptará sus súplicas y tomará Su trono. Y eso es precisamente lo que El hace. Pero la forma en que Jesús toma posesión de Su Reino es completamente inesperada y asombrosa.

El va a los gobernantes del día y los condena por su hipocresía. El va al Templo y predice su completa destrucción, una profecía que será cumplida en el año 70 DC, menos de una generación después. En última instancia, Sus palabras y Sus acciones llevan a los líderes judíos a exigir Su vida, y la turba se vuelve en contra de El. Jesús parece estar a punto de establecer Su Reino; sin embargo, actúa de manera contraria a lo que parecería ser el curso prudente y lógico. Un experto en relaciones públicas de nuestros días habría aconsejado en contra de las declaraciones hechas a los líderes judíos, pero la mente de Jesús no está dominada por la fascinación del mundo por una "imagen". Como resultado de Sus acciones, pronto observará cómo las multitudes que sólo unos días antes lo habían aclamado como rey, gritaban "¡Crucifícalo, Crucifícalo!" (Mc 15:13-14).

Pero antes de que los líderes indignados y la multitud iracunda puedan hacer con El lo que quieren, Jesús compartirá una última cena con Sus apóstoles. Esta tercera y última cena de Pascua es la Ultima Cena.

Jesús está solo con Sus hombres escogidos. Afuera, los líderes están listos para matarlo, y uno de los Suyos – Judas – acaba de abandonar la cena para ir a traicionar a Jesús. Tan pronto como Judas se va, Jesús dice, "Ahora es glorificado el Hijo del Hombre y Dios es glorificado en él" (Jn 13:31).

¿Es *ahora* el momento? ¿No *era* el momento cuando Nicodemo fue a El para expresarle su fe? ¿No *era* el momento cuando las multitudes fueron a coronarlo rey a la fuerza después que El alimentó a miles de personas? ¿No *era* el momento, sólo unos días antes, cuando las multitudes le dieron la bienvenida a Jerusalén?

No; pero ahora *es* el momento, justo cuando El se prepara para dar Su vida por Su Esposa, la Iglesia. Jesús sabía que, para que nosotros experimentáramos todo lo que El nos tiene preparado, El tenía que dar Su vida. Por medio de Su muerte y resurrección, los Sacramentos de la Nueva Alianza recibirán su poder. Cuando el vuelva a Su Padre, Ellos (el Padre y el Hijo) enviarán al Espíritu Santo, y los apóstoles serán enviados al mundo. Jesús revela Su verdad cuando dice: "Si el grano de trigo no cae en tierra y muere, queda solo; pero si muere, da mucho fruto" (Jn 12:24).

Para Jesús, esta última Pascua incluirá Su Ultima Cena, Su muerte y Su resurrección, y encargar a Sus apóstoles el Domingo de Pascua. En medio de este drama, los apóstoles se dispersarán, y Pedro hasta negará a su Señor tres veces.

Arrestado, enjuiciado, torturado, y crucificado, Jesús regresa a Su Padre. Pero así como lo prometió, esto no fue el final de la historia. El Domingo por la mañana, la tumba está vacía, y algunas de las mujeres que habían acompañado a los discípulos reportan que han visto a Jesús resucitado de entre los muertos. Los apóstoles están sorprendidos, acurrucados juntos y temiendo por su vida. El Domingo de Pascua por la tarde, Jesús resucitado se aparece entre ellos. Es difícil imaginar el ámbito de emociones que deben haber sentido. ¡Jesús, a quién ellos amaban, ha resucitado de entre los muertos! ¡Esta es una gran noticia! Y, al mismo tiempo, tienen que haberse acongojado al darse cuenta de que lo habían abandonado en Su momento de necesidad. ¿Qué diría El? No tardarán en saberlo. Cuando se les aparece, Sus primeras palabras son: "¡La paz esté con ustedes!" (Jn 20:19).

Imaginen qué alivio: el Mesías que ellos abandonaron ha resucitado de entre los muertos, y viene en paz; no juicio. Jesús continúa: "¡La paz esté con ustedes! Como el Padre me envió a mí, así los envío yo también" (Jn 20:21).

¿Por qué el Padre ha enviado al Hijo? Jesús vino al mundo para enseñar y para sanar, para salvarnos del pecado y reconciliar al mundo consigo mismo, para edificar el Reino y extender la misericordia de Dios en la Tierra. ¿Pero cómo es posible que los apóstoles, siendo hombres imperfectos, puedan ser enviados al igual que Jesús había sido enviado por el Padre? Jesús responde la pregunta: "El sopló sobre ellos y les dijo: 'Reciban el Espíritu Santo: a quienes descarguen de sus pecados, serán liberados, y a quienes se los retengan, les serán retenidos'" (Jn 20:22-23).

Esto cumple las misteriosas palabras que Jesús había pronunciado el Jueves Santo: "En verdad les digo: El que crea en mí hará las mismas obras que yo hago y, como ahora voy al Padre, las hará aún mayores" (Jn 14:12).

Para los apóstoles, hubiera sido imposible comprender esta afirmación unos días antes cuando Jesús la hizo. ¿Cómo podrían ellos hacer cosas mayores que Jesús? Mas, en última instancia, la resurrección y la venida del Espíritu Santo aclaran de una manera sorprendente todo lo que Jesús ha dicho y hecho.

Cuando el Espíritu Santo viene, transforma a los apóstoles de una manera poderosa. Hasta este momento, ellos han seguido a Jesús y han llegado a confiar en El. Ahora, Jesús se une a ellos de una manera sorprendente. Ya no serán simples seguidores. Más bien, estarán místicamente unidos a Cristo para convertirse en extensiones Suyas. Como dijo El: "Yo soy la vid y ustedes los sarmientos. El que permanece en mí y yo en él, ése *da mucho fruto*, pero sin mí no pueden hacer nada" (Jn 15:5).

El Cristo resucitado enviará Su Espíritu Santo para poder continuar viviendo en Su Iglesia. Sus apóstoles extenderán el Reino por medio de los Sacramentos de la Nueva Alianza, atrayendo a todos los que volverán a una relación con Dios.

Salvados por la Gracia

Nicodemo había venido con fe humana y Jesús le dijo que necesitaba renacer en Bautismo para entrar al Reino. Las multitudes fueron alimentadas con un pan milagroso y querían hacer de Jesús un rey terrenal. Jesús les dijo que tenían que comer Su carne y beber Su sangre, llamándolos a la Eucaristía. Ahora, los apóstoles – que le habían dicho a Jesús que lo seguirían a cualquier parte pero habían huido temerosos – fueron perdonados y encomendados a ir y perdonar los pecados de otros por medio de la Confesión. En breve, en cada una de las tres Pascuas, la gente que se acercó a Jesús era llamada a los Sacramentos del Reino.

Aunque tenemos que arrepentirnos y creer, el Reino se realiza no tanto por lo que hacemos para servir a Dios, sino por Dios obrando en y por medio de nosotros. Por medio de los Sacramentos y de la Iglesia, Jesús le extiende Su vida al mundo. Lo que Jesús hizo una vez en la historia en Su cuerpo físico, sigue haciéndolo a lo largo de la historia por medio de Su cuerpo místico, la Iglesia. La liturgia y los Sacramentos no son restos del pasado; son los verdaderos medios por los cuales Jesús se hace presente para nosotros hoy.

Por medio del Bautismo, somos unidos a Cristo y recibimos una vida nueva – la verdadera vida de Jesús. Por medio de la Eucaristía somos alimentados con el verdadero Cuerpo y la verdadera Sangre que ganó nuestra salvación, el Cuerpo crucificado por nuestros pecados y resucitado de entre los muertos, para no morir de nuevo jamás. En Confesión, los pecados y los fallos que inevitablemente nos afligirán en este peregrinaje terrenal son sanados y perdonados, y somos fortalecidos para nuestra jornada. Jesús logra todo esto por medio de Su Iglesia.

Todas las otras religiones se tratan del hombre buscando a Dios; el cristianismo se trata de Dios buscando y encontrando a cada uno de nosotros. Dios está activo y vivo en medio de la Iglesia que El fundó. Este punto se le hace muy claro a San Pablo en el momento de su conversión al cristianismo.

Pablo (también conocido como Saulo), mientras estaba en camino para perseguir a los cristianos, fue tumbado a la tierra en el camino a Damasco. Entonces escuchó una voz diciendo, "Saulo, Saulo, ¿por qué me persigues?" Saulo responde, "¿Quién eres, Señor?" Y la voz responde, "Soy Jesús, a quien tú estás persiguiendo" (ver Hechos 9:3-5).

Cuando Saulo estaba persiguiendo a los cristianos, en realidad estaba persiguiendo al mismo Jesús, debido a la íntima conexión entre Cristo y Sus seguidores. Saulo estaba actuando sinceramente, pero estaba sinceramente equivocado acerca de Jesús y de Su Iglesia. Aun hoy, existen aquéllos que, mientras actúan sinceramente, no reconocen a la Iglesia por lo que es – el Cuerpo de Cristo – y persiguen a Jesús persiguiendo a la Iglesia. Al igual que Saulo, no están condenados, sino llamados a la conversión. Jesús ha venido para ofrecerles más.

El Rey y Su Reino

Jesús ha establecido Su Reino. Es un Reino universal, que se extiende por todo el mundo, y es un Reino imperecedero, que se extiende a través del tiempo. Todos son bienvenidos. Al igual que los primeros cristianos, tenemos que *arrepentirnos* de nuestra vida egocéntrica y volvernos a Dios. Tenemos que *creer* que Jesús es el Unico Santo de Dios y que El tiene las palabras de vida eterna. Y tenemos que ser *bautizados*, renacidos del agua y del Espíritu, para que podamos ser injertados en la viña que es Cristo.

Convertirse en un cristiano significa entrar en la Nueva y Eterna Alianza. Los siete Sacramentos de la Nueva Alianza[9] son la sangre de vida del cristiano. Por medio de estos sagrados ritos litúrgicos, somos injertados y mantenidos en la vida de Cristo. Vivimos la vida de Jesús dentro del contexto del Reino visible, unidos bajo el liderazgo de los obispos – sucesores de los apóstoles. Ellos, a la vez, sirven en unión con el Papa – sucesor de San Pedro, el primer ministro, que guarda las llaves del Reino. Vivimos en Cristo y bajo el cuidado de la Reina Madre – María – a quien El ha compartido con nosotros. Y servimos a un Rey que nos amó aunque ya éramos pecadores, y vive para guiarnos al hogar, de modo que cuando nuestra vida terrenal haya llegado a su fin, podamos ir a nuestra verdadera patria – el Cielo.

---

[9]Bautismo, Confirmación, Eucaristía, Reconciliación/Penitencia, Unción de los Enfermos, Matrimonio, y Orden Sagrado.

CAPITULO 6

UNA BÚSQUEDA PERSONAL DE LA VERDAD

Hemos estado discutiendo el hecho que creer en Cristo y en Su Reino es razonable. Pero el cristianismo es mucho *más* que simplemente razonable, mucho más que un juego de ética. Es una relación – una relación que yo he llegado a experimentar personalmente. Por ejemplo, yo puedo ofrecer cien buenas razones por las cuales me casé con Michaelann, y todas son ciertas; pero nuestra relación amorosa es mucho más que razonable. Es romántica; es amor. Lo mismo es cierto de mi relación con Jesucristo. Hay amplias razones para creer en Jesús y seguirlo, pero esto es más que un caso judicial, o una colección de argumentos elaborados sobre una buena evidencia. Es un drama, una aventura, y una clásica historia de amor a un Dios que me amó y vino a rescatarme.

Salvado Amablemente

No necesité haber nacido en un hogar cristiano para que Cristo me encontrara. En realidad, yo fui concebido fuera del matrimonio por una mujer que no era cristiana. Comencé la vida en uno de los lugares más peligrosos de la Tierra, a finales del siglo XX: en un vientre. No obstante, debido a su bondad y a su heroica generosidad – que nunca podré pagar – ella me salvó la vida, me llevó en su vientre durante todo el embarazo, y me dio en adopción.

Sin esfuerzo alguno de mi parte, me encontré vivo y adoptado por una maravillosa pareja joven. Mi nueva madre era católica. Mi nuevo padre era un buen hombre que respetaba la fe de mi madre y, cinco meses después de mi nacimiento, fui adoptado por segunda vez – esta vez como hijo de Dios, cuando fui bautizado en la Iglesia Católica. Yo era demasiado joven para darme cuenta del regalo que se me estaba dando, así como era demasiado joven para comprender la bendición de haber sido adoptado en un hogar maravilloso. La Iglesia habla de una manera hermosa del Bautismo de un infante al decir:

> Nacido con una naturaleza humana caída y mancillada por el pecado original, los niños también necesitan el nacimiento nuevo del Bautismo para ser liberados del poder de las tinieblas y llevados al reino de la libertad de los hijos de Dios, al que los hombres son llamados. El carácter puramente gratuito de la gracia de la salvación se manifiesta de una manera particular en el Bautismo de un infante. La Iglesia y los padres le negarían a un niño la preciada gracia de convertirse en hijo de Dios si no lo bautizaran poco después de haber nacido. (*CCC* 1250)

Un Pródigo

Crecí en este hogar maravilloso, y de niño, estuve rodeado del amor de mis padres, y llegué a tenerle una fuerte devoción a Jesús. Recuerdo desear haber nacido un par de miles de años más temprano para haber podido conocerlo y quizás hasta seguirlo. Nunca cuestioné el amor de mis padres o el amor de Dios. Esta fue una gracia que muchas personas no tienen – una gracia que yo despilfarré al convertirme en un hombre joven. Aunque nunca cuestioné el amor de mis padres o de Dios, no respondí a él.

Vivimos en un mundo que está en guerra con Dios, y yo me convertí en una víctima de esa guerra. No recuerdo pensar que quería ponerle fin a mi relación con Dios o con mis padres, pero a través de miles de decisions, hice imposible esas relaciones. Hice lo que quería, sin emportarme si mis padres o Dios aprobarían, y para vivir esta vida centrada en mí mismo sin discordia, simplemente escondí los hechos de aquéllos más cercanos a mí. No me di cuenta de que uno no puede vivir en una relación si uno se niega a vivir en la verdad.

La base de una buena vida es escoger lo que es bueno. La vida sin buscar la bondad lo coloca a uno en una pendiente. Seguro, yo tenía racionalizaciones para cada decisión, pero mi vida comenzó a salirse de control. El egoísmo es como el agua salada: mientras más uno toma, más sed tiene. En mi auto absorción y mi pecado, las relaciones con mi familia y mis amigos se desmoronaron, y Dios se convirtió en poco más que un recuerdo de mi niñez.

La mentira del mundo es que buscar el placer traerá la felicidad.

Simplemente comprar más cosas, comer o beber algún producto nuevo, o encontrar a otra persona con quien se pueda intimar, traerá la felicidad. Pero uno ha sido hecho para más. Yo busqué el placer personal, y solamente encontré soledad. La verdad es que solamente cuando buscamos la bondad experimentamos felicidad, y es tan sólo cuando vivimos en relación con Dios, el Supremo Bien, que experimentamos la alegría para la que hemos sido hechos. Como dijo San Agustín hace mucho tiempo, "Tú nos has hecho para Ti y nuestro corazón no descansará hasta que descanse en Ti".

Realidad y Relaciones

Seguir a Dios requiere fe, pero Dios ha diseñado este mundo de tal manera que de vez en cuando se nos recuerda que tiene que haber más que la realidad que ven nuestros ojos. Yo estaba en los últimos años de mi adolescencia y en las profundidades de la auto-absorción cuando algo sucedió – mi abuelo se enfermó. Nosotros vivíamos a mil millas de distancia de mis abuelos, y no pensaba en ellos con mucha frecuencia. ¿Cómo podría hacerlo, cuando estaba tan ocupado pensando en mí mismo?

Las cosas no lucían bien para mi abuelo, de modo que mi madre estaba planeando ir a su lado. Mi padre me preguntó si yo la acompañaría en el viaje. Por una parte, era un viaje gratuito a Nueva Orleans. Por otra parte, los hospitales eran realmente deprimentes, y pasar un par de semanas solo con mi madre no estaba en el primer lugar de mi lista de "cosas que hacer". Nuestra relación se había vuelto tensa. Es doloroso amar a alguien que no te ama. Mi madre no me había dado nada más que amor y apoyo, y yo había respondido a su regalo con ingratitud. No obstante, acepté la invitación y fui con mi mama a Nueva Orleans. Cuando llegamos, casi no reconocí a mi abuelo; estaba débil y parecía estar cerca de la muerte. Sufriendo dolores atroces, su sufrimiento corporal estaba agravado por su aguda sensación de soledad. Con frecuencia lloraba por mi abuela, que había fallecido unos años antes. Yo no sabía cómo hablarle. Recuerdo estar paralizado por la realidad de su sufrimiento y próxima muerte. Entre tanto, mi madre hizo lo que una buena hija católica haría: llamó a un sacerdote. Cuando el sacerdote llegó, mi abuelo no estaba ansioso por verlo; pero, calmadamente, el sacerdote nos pidió a mi madre y a mí un momento privado con mi abuelo para oir su confesión.

Cuando volvimos veinte minutos después, el sacerdote se había ido y encontramos a un hombre transformado. Aunque el dolor todavía estaba ahí, mi abuelo estaba en paz. En sus últimos días, habló con nosotros, y en lo que se acercaba a la muerte, esperaba estar con Dios y reunirse con la esposa a la que le echaba tanto de menos. Mientras estaba sentado en el cuarto del hospital, me di cuenta de que la vida es un drama, y las relaciones definen quiénes somos. Algún día, yo también moriría. ¿Qué significaría mi vida? Mi abuelo se había vuelto a Dios, había recibido los Sacramentos, y descubierto la paz. ¿Creía yo en Dios? ¿Qué le había pasado al Dios que yo había amado de niño? Estas eran preguntas inquietantes para las que yo no tenía respuestas.

Perdido pero Mirando

Yo sabía que había un hueco en mi vida, pero no sabía cómo llenarlo. Mi segundo año en la Universidad fue mi primer año lejos de mi hogar. Viajé mil millas hasta Louisiana State University / la Universidad Estatal de Louisiana, no muy lejos de donde mis fallecidos abuelos fueron enterrados. La famosa Universidad / LSU era una escuela de fiestas, pero yo no estaba de humor para fiestas. Ser indulgente conmigo mismo había probado ser una búsqueda vacía, de modo que evité las locuras que seducen a tantos en una Universidad.

Tuve la suerte de conseguir como compañero de cuarto a un estudiante que se graduaba. Howard no solamente era un estudiante serio; estaba comprometido para casarse. Trabajaba duro toda la semana y entonces iba a su casa todos los fines de semana para estar con su prometida. Durante la semana, me encontré haciendo mis tareas junto con él. Los fines de semana llenaba mi tiempo jugando baloncesto hasta que casi no podía caminar. Por semanas regresaba a mi cuarto exhausto, mi trabajo escolar al día. Pero mientras las fiestas desenfrenadas hacían furor por todas partes, yo me abstuve, sintiendo que la felicidad que ansiaba no se podía encontrar ahí. Un día, estado sentado en mi cuarto, algo atrajo mi vista. Ahí en el extremo del librero, estaba la Biblia que mi madre me había dado antes de irme de casa. La tomé y empecé a leer.

Abrí el Nuevo Testamento y encontré la figura familiar de Jesús. Mientras volvía las páginas me encontré atraído hacia el drama de

Su vida. Ahora, un hombre joven, recordé que, cuando era niño, deseaba haber conocido y seguido a Jesús. No había pensado mucho en El en años. Pero ahora, al pasar los días, me encontré volviendo del boncesto un poco más temprano para tener más tiempo para leer la Biblia. Estaba fascinado con Jesús. Mientras leía era como si hubiera estado viendo una película en mi mente. Traté de imaginar cómo lucía Jesús, cómo hablaba, cómo las multitudes respondían a Sus enseñanzas y a Sus Milagros. Y entonces, mientras "miraba", Jesús dijo estas palabras: "¿Por qué me llaman: ¡Señor! ¡Señor!, y no hacen lo que digo?" (Lc 6:46).

Me sentí como si me hubieran pegado en el estómago. Mientras leía el pasaje era como si Dios hubiera insertado una palabra extra: "*Curtis*, ¿por qué me llamas 'Señor, Señor', y no haces lo que yo te digo?"

Dejé la Biblia y me senté estupefacto. *¿Pensé que Jesús era Dios?*
Sí.

Entonces, ¿por qué no hice lo que me decía?

No tenía respuesta.

No tengo idea de cuánto tiempo estuve sentado ahí, pero después de un buen rato, noté que estaba oscureciendo. Me levanté y tambaleándome caminé hacia el comedor para comer. Mientras esperaba en fila, alguien se acercó y preguntó, "¿Estaría dispuesto a participar en una encuesta rápida?" Ni siquiera recuerdo haber dicho que sí, pero encontré un breve cuestionario en mis manos. Miré, y para mi sorpresa la primera pregunta era, "¿Cree usted en

Dios?" Todavía en una nube, escribí, "sí". La encuesta continuaba, "¿Cree que Jesucristo es Dios? Cree que la Biblia es la Palabra de Dios?"

Lo oportuno me dejó pasmado. Si hubieran sabido lo que había estado ponderando en mi cuarto justo unos momentos antes, los encuestadores también se hubieran asombrado. También respondí sí a estas preguntas. Siguió, "¿Quisiera participar en un studio bíblico?"

Aunque mi cabeza me estaba dando vueltas, me di cuenta de que esta pregunta era diferente. Si contestaba "sí" a ésta, alguien iba a llamarme o a ir a mi cuarto. Yo no era partidario de cosas como esa. Pero entonces pensé, *Necesito hablar con alguien*. ¿Cómo podría empezar a hacer lo que Jesús quería que hiciera si yo no tenía idea de qué iba El a pedirme? Así que respondí "sí", y les di el número de mi cuarto.

Por supuesto, unos días después, tocaron a mi puerta. Cuando abrí, había un par de muchachos bastante normales del otro lado. Ellos mencionaron que habían recibido mi encuesta y esperaban darle inicio a un estudio bíblico. Pero entre tanto, preguntaron si me interesaría unirme a ellos para una partida de golf. Como disfruto el juego y disponía de algún tiempo, acepté.

En el campo, conocí a otros muchachos, y todos fuimos a jugar. Todos la pasamos bien, y después salimos para comer pizza. Mientras comíamos me preguntaron si me interesaría participar en un equipo de fútbol de la Universidad. Durante las semanas siguientes jugamos golf y fútbol y fuimos a pescar. En medio de todo eso, conocí a algunos muchachos realmente buenos. Uno de ellos, Roy, me dijo que él estaba listo para empezar el estudio bíblico y me preguntó si quería participar. Yo pensé, ¿Por qué no? Me agradaban estos muchachos y también quería obtener algunas respuestas a mis preguntas.

Bajo la Misericordia

Poco después de haber empezado a reunirnos, le pregunté a Roy si podía hablar con él. Le dije que yo realmente disfrutaba estos nuevos amigos y el estudio bíblico, pero que tenía que ser honesto: yo tenía una gran confusión en mi interior. Le hablé de mi lectura de la Biblia y del versículo que había leído, Lc 6:46, cuando Jesús parecía haberme retado personalmente a obedecerlo. Yo creía que Jesús era Señor, pero no tenía defensa alguna para no hacer lo que El decía. En realidad, yo no sabía cómo empezar. Le dije a Roy que había estado tratando de ser una persona mejor para poder empezar a seguir a Jesús, pero que todos mis esfuerzos parecían ser en vano, y me sentía desesperanzado.

En respuesta, Roy me dio uno de los mejores consejos que jamás había recibido. Me dijo: "Curtis, nunca ordenarás tu vida lo suficiente para seguir a Jesús. Lo que tienes que hacer es darle tu vida a Jesús justo donde estás, y dejar que El la reorganice. Jesús está llamándote a entrar en una relación, no simplemente a obedecerlo".

El continuó explicándome que si Jesús resucitó de entre los muertos, está vivo y quiere tener una relación viva conmigo. Me dijo que podría iniciar esa relación volviéndome a El en oración, pidiéndole que viniera a mi corazón como mi Señor y Salvador, y pidiéndole que me perdonara. Esa noche, en mis propias palabras, recé la siguiente oración:

> Señor Jesús, yo creo en verdad que Tú eres Dios, que Tú viniste y moriste por mí. Siento haber pecado; por favor, perdóname. Deseo estar relacionado contigo. Por favor, entra en mi vida como mi Señor y Salvador. Deso vivir para Ti y contigo y seguirte con todo mi corazón, mi mente, y mi alma.

La Relación Correcta

Con Cristo como Señor de mi vida, las cosas empezaron a cambiar. Toda mi vida empezó a transformarse. Experimenté el perdón y la alegría de estar en una relación correcta con el Dios que me había creado y salvado. Empecé a conocer personas que igualmente estaban buscando vivir relacionadas con Dios. Eran hombres y mujeres de un carácter sólido – personas que querían convertirse en lo mejor que podían ser y que estaban ansiosas de ayudarme a hacer lo mismo. Empecé a descubrir nuevamente el significado y el propósito de la vida. Hasta el promedio de mis calificaciones subió; el significado de mi vida se tradujo en excelencia en mi trabajo escolar. De una manera muy real, aprender la verdad acerca de Jesús me ayudó a conocer quién era yo. Más tarde, encontré que esto era precisamente lo que el Papa Juan Pablo II estaba enseñando mientras viajaba por todo el mundo, llamando a hombres y a mujeres a entrar en una relación con Jesús.

> El ser humano no puede vivir sin amor. Sigue siendo un ser que es incomprensible para sí mismo, su vida no tiene sentido, si el amor no le es revelado, si no encuentra el amor, si no lo experimenta y lo hace suyo, si no participa íntimamente en él. Esta es la razón por la cual Cristo, el Redentor, "revela plenamente al hombre a sí mismo".[10]

Aprendí a caminar hacia Dios como lo haría hacia un amigo en el que confiaba. Descubrí la sabiduría y el poder de la Palabra inspirada de Dios, de las Escrituras, y desarrollé un corazón para el prójimo. Toda mi concentración se cambió de la búsqueda del placer personal a crear una vida centrada en relaciones correctas y a vivir en la verdad. Desarrollé algunas de las mejores amistades que podía haber imaginado y empecé a aprender lo que significaba ser un amigo leal y preocupado. El resto de mis días universitarios fueron los mejores de mi juventud, y deseé seguir creciendo en mi intimidad con Cristo y con el prójimo.

Durante este tiempo, mis amigos más íntimos fueron cristianos evangélicos, y fueron (y aún son) algunas de las mejores personas que jamás había conocido. Me consideré un "ex" católico que ahora era un cristiano devoto, y mi mayor deseo era crecer en mi fe – un deseo

---

[10] Juan Pablo II, *Redemptor Hominis*, 10

que rezo llevaré conmigo hasta mi tumba. Reconocí la autoridad de la Sagrada Escritura y deseé moldear mi vida según la voluntad de Dios siguiendo fielmente Su Palabra.

Creo lo Que Dices, pero ¿Qué Quieres Decir?

Todos los cristianos están de cauerdo con que la Bibia es la Palabra de Dios, y todos estamos de acuerdo con lo que las verdaderas palabras de la Escritura dicen.

Sí, es verdad que los católicos y los criatianos ortodoxos tienen unos cuantos libros más en su Antiguo Testamento comparados con los cristianos protestantes, pero todos estamos de acuerdo con los veintisiete libros del Nuevo Testamento, y no hay doctrinas fundamentales que broten exclusivamente de estas fuentes que faltan en el Antiguo Testamento.[11] Sin embargo, empecé a ver que había muchas opinions diferentes sobre *cómo* interpretar lo que dice la Bibia, y estas diferencias me perturbaban. Si hay un Dios, y El tiene un Hijo, y El fundó una Iglesia, y a esa Iglesia le ha sido dada toda la verdad (ver Jn 16:13), ¿por qué hay tantas diferencias de opinion acerca de lo que la verdad es? ¿Cómo puede un cristiano moderno encontrar la plenitud de la verdad?

Con seguridad, hay espacio para diferencias: "¿Prefieren leer los Salmos o las Cartas de San Pablo?:" o "¿Son parciales a las Parábolas

---

[11] La doctrina del purgatorio es mencionada algunas veces como un ejemplo de una enseñanza que se basa en el Antiguo Testamento "católico", pero 1 Corintios 3:15 da una base clara del Nuevo Testamento para esta enseñanza apostólica.

o a los Preceptos que Jesús usa paa enseñar el Evangelio?" Pero otras cuestiones paracen ofrecer poco espacio para diferencias de opinión sin comprometer toda la fe cristiana: "¿Son justificados solamente por la fe, aparte de las obras, o despreocuparse por las buenas obras pone en peligro su salvación?"; "¿Es la Eucaristía el verdadero Cuerpo de Cristo o simplemente un símbolo?"; ¿Son los Sacramentos como el Bautismo, la Comunión y la Confesión opcionales o Dios espera que todos nosotros los recibamos?" Todos estamos de acuerdo con lo que *dijo* la Biblia, pero ¿cómo puedo llegar a saber lo que *quiso decir*?

El Testimonio de la Historia

Seguí orando por comprensión, escuché a muchos maestros, y seguí estudiando. Asistí a un maravilloso seminario ofrecido por Campus Crusade for Christ / Cruzada Universitaria por Cristo. El conferenciante era Josh McDowell, un orador dotado y un maestro bien informado. Su tema particular fue la fiabilidad de la Biblia. Los cristianos forman su fe de acuerdo con la Biblia y tratan de moldear su vida según sus enseñanzas. Los talleres suscitaron la pregunta: ¿Podemos confiar en que la Biblia que tenemos es una representación *precisa de lo que fue verdaderamente escrito hace dos mil años?* McDowell presenta una prueba poderosa y convincente de que la Biblia es el texto antiguo más confiable del mundo y que podemos tener una gran confianza en que lo que estamos leyendo, aunque traducido a nuestro propio idioma, está basado en copias extremadamente confiables de los manuscritos originales.

La base para los argumentos de McDowell era el testimonio de la historia. Podemos confiar en los textos, porque hay muchos documentos antiguos, y cada uno da testimonio de una fuente común. Las mínimas diferencias en los textos antiguos afectan a menos de una fracción del uno por ciento del texto, y ninguna doctrina esencial ha sido cuestionada por estas dfiferencias. McDowell enfatiza el hecho que estos documentos antiguos eran copias creadas en un tiempo cercano a los originales y que eran bien conocidos y honrados por la Iglesia y por la Escritura. Los primeros cristianos hubieran rechazado cualquier cosa añadida o borrada de los originales.

Empecé a preguntarme: Si el testimonio de la historia podia probar lo que la Biblia *dijo*, ¿podría también la historia ayudarme a descubrir lo que la Biblia *quiere decir*? Si los primeros cristianos copiaron fielmente la Biblia, ¿escribieron también sobre lo que quiere decir? Un viaje a la biblioteca proveyó las primeras respuestas a mi dilema. Sí, los primeros cristianos escribieron libros sobre su fe. Usando la lógica, McDowell me había enseñado, yo apliqué la prueba de la historia a lo que la Biblia quería decir

Quedé impactado. Uno de los más antiguos testigos era un hombre nombrado Ignacio de Antioquía. Su linaje era impecable. Jeús le había encomendado a Sus apóstoles que fueran a hacer discípulos, y uno de Sus apóstoles, Juan, había hecho de Ignacio un discípulo. Con seguridad, los pensamientos de Ignacio sobre el significado de la Escritura sería confiable. No sólo fue instruido por un apóstol, sino que más tarde fue martirizado por su fe en Cristo.

Para mi gran sorpresa, Ignacio creía cosas que yo no creía – y aclaró que había recibido esas ideas directamente de los apóstoles. Ignacio puso un gran énfasis en "los obispos" y en "la Eucaristía". En una carta en particular, él escribió lo siguiente:

> Aquéllos que pertenecen a Dios y a Jesucristo – están con el obispo. Y aquéllos que se arrepienten llegan a la unidad de la Iglesia. Tengan cuidado, pues, de usar una Eucaristía, para que cualquier cosa que hagan, lo hagan de acuerdo con Dios: porque hay una Carne de nuestro Señor Jesucristo, y una copa en la unión de Su Sangre; un altar, así como hay un Obispo con el presbiterio.[12]

Mi iglesia no tenía ningún Obispo y había llegado a pensar, junto con mis amigos evangélicios, que la Ultima Cena era meramente simbólica.

También noté que estas dos enseñanzas se reconciliaban con la fe católica de mi niñez. Esto era perurbador porque, para ese tiempo, yo había llegado a la conclusión que la Iglesia Católica estaba equivocada sobre muchas cosas. Mi equivocación no era única. En efecto, la Iglesia Católica puede que sea la peor entendida institución

---

[12] Ignacio de Antioquía, *Epistle to the Romans / Carta a los Romanos*, cap. 4. Roberts, Alexander, y Donaldson, eds.
Ante-Nicene Fathers, Vol. 1: The Apostolic Fahers, Justin, Irenaeus / Padres Anti-Niceno, Vol. 1: Los Padres
Apostólicos, Justino, Ireneo. Http://www.ccel.org/ccel/schaff/anf01.v.v.iv.html

de la historia. Esto tiene sentido desde que el mismo Jesús era mal interpretado con frecuencia. El fallecido Obispo Fulton Sheen describió esta parcialidad común que muchos tienen en contra de la Iglesia Católica:

> En los Estados Unidos, no hay más de cien personas que odien la Iglesia Católica; sin embargo, hay millones que odian lo que ellos erróneamente creen que es la Iglesia Católica – lo cual es, por su puesto, una cosa muy diferente.[13]

Mi experiencia personal me hizo inclinarme a estar de acuerdo con mis amigos evangélicos. Después de todo, ellos eran las personas más fieles que jamás había conocido. Pero no podía dudar de la fidelidad de Ignacio. Estaba destrozado.

Quería tener una fe compartida con mis amigos, pero también vi la necesidad de tener una fe compartida con este santo antiguo, formado por el apóstol Juan.

Algo Más que lo que Ven los Ojos

Empecé a mirar alrededor por opciones. En este momento no podía creer que la Iglesia Católica era la Iglesia verdadera. Desde

---

[13]*Radio Replies / Respuestas de Radio, Vol.* I Rumble, Leslie, y Carty, Charles, eds. (Rockford, IL: TAN Books and
Publishers / Libros y Editoriales, 1979), p. ix

mi perspectiva, parecía haber tantas objeciones al catolicismo. Yo pensaba que muchas enseñanzas católicas eran contrarias a la Escritura. No conocía a católicos que parecieran seguir a Cristo de la manera que mis amigos evangélicos lo hacían. Tantos católicos eran o tibios en su devoción a Jesús o hasta vivían una vida contraria a las enseñanzas de Cristo. En realidad, yo *había sido* uno de esos católicos no hacía mucho tiempo. ¿No estaría la Iglesia que había fundado Jesús llena de personas fieles?

Seguí rezando y leyendo. Ignacio de Antioquía tenía mucho que decir, pero él no era el único de los primeros cristianos que escribió libros. Empecé a leer a otros, personas conocidas como los "Padres de la Iglesia". Para mi abatimiento, ellos hablaban de una manera muy parecida a la de Ignacio. De hecho, parecía bastante que todos hablaban con la misma voz. En la iglesia histórica había obispos, el Papa, la Misa, los Sacramentos, la devoción a María, y las enseñanzas morales que eran católicas de una manera muy reconocida. Por supuesto que algunas de estas enseñanzas y prácticas estaban en forma de semilla, aún desarrollándose y siendo elaboradas. Pero todo estaba ahí. La Iglesia que los Padres me mostraron era, inequívocamente, una ¡Iglesia Católica joven!

Realmente me molestó. ¿Cómo podría no estar de acuerdo con la creciente montaña de evidencias convincentes? Mas también, ¿dónde podría encontrar hoy cristianos que tuvieran la profunda devoción a Cristo que yo había llegado a experimentar con mis amigos evangélicos, pero que también siguieran las enseñanzas históricas de los primeros cristianos?

Mientras leía los Evangelios, empecé a ver algo que no había notado antes. El tema principal de las enseñanzas de Jesús era el Reino de Dios. Las primeras palabras de Su ministerio público fueron, "¡Arrepiéntete! Porque el Reino de Dios está cerca". El Sermón de la Montaña hablaba repetidas veces de este Reino. Cuando Jesús fue crucificado, Su "crimen" fue afirmar que era el Rey de los Judíos. El Nuevo Testamento menciona el Reino más de cien veces. Pero, había un aspecto del Reino que me tomó completamente por sorpresa.

En el Evangelio de Mateo, Jesús comparte siete parabolas sobre el Reino, y ellas revelan algo que yo no hubiera esperado. Las parábolas muestran que *el Reino es una realidad mixta*. La primera y más larga de las parábolas compara el Reino con un campo de trigo en el que el enemigo viene y planta cizaña. Cuando los trabajadores se dan cuenta del problema, van al dueño y le ofrecen arrancarlas; pero el dueño se los prohibe, diciéndoles que dejen que el trigo y la cizaña crezcan juntos porque si no algún trigo será arrancado accidentalmente. El les asegura que El separará el trigo de la cizaña en el tiempo de la cosecha. Esto significaba que el Reino no sólo tendría miembros fieles sino también pecadores viviendo unos al lado de los otros, los cuales serían separados solamente al final.

En otras palabras, el simple hecho que algunos en la Iglesia no fueran fieles no era una evidencia en contra de la validez de la Iglesia. Por el contrario, *en realidad era una característica de la Iglesia*. La cuestion no era, "¿Hay pecadores en la Iglesia?" La verdadera cuestión era,

"¿Hay santos?"

Nuevamente, volví mis ojos a la historia y alrededor del mundo. Pude encontrar ejemplos de personas fieles que eran protestantes, como C. S. Lewis y Billy Graham. Mas también pude ver grandes santos de toda generación en la Iglesia Católica - personas como San Ignacio de Antioquía, San Francisco de Asís, y Santa Teresa de Liesieux. De modo que si había personas fieles en los dos campos, ¿cómo pdría encontrar el campo que Jesús fundó y era fiel a todas Sus enseñanzas?

Billy Graham y la Madre Teresa

Empecé a mirar más de cerca a los grandes líderes modernos. Decidí que me enfocaría en dos ejemplos: Billy Graham y la Madre Teresa. Tanto como pude determinar, ambos era seguidores devotos de Cristo. Ambos llevaron una vida de oración. Ambos aceptaron la autoridad de la Biblia. Ambos habían dedicado su vida a llevar a Cristo al prójimo. A pesar de estas similaridades, uno era protestante y la otra católica. Sin embargo, la Madre Teresa mantuvo las mismas enseñanzas que los Padres de la Iglesia de los Primeros Tiempos mantuvieron: ella creyó en los obispos y pasó una hora al día orando ante la Eucaristía. ¿Quién estaba en lo correcto? Empecé a ver que ambos estaban en lo correcto – en lo que tenían en común. Esto me dio una gran esperanza, pero me hizo llegar a ver algo vitalmente importante: *Es posible seguir a Cristo con gran fidelidad aún cuando si uno no conoce todo lo que El enseñó.* Mas no es posible vivir fielmente si a sabiendas uno niega a Cristo o Sus enseñanzas.

Billy Graham podía ser un discípulo leal – devoto a Jesús como Señor y Salvador, dedicado a la oración y a alcanzar almas para Cristo – pero por una falta de entendimiento, no supo que Jesús estaba verdaderamente presente en la Eucaristía. Lo que él afirmaba era cierto, pero no afirmaba *toda* la verdad.

Por otra parte, *si la Eucaristía fuera simplemente un pedazo de pan*, ¿cómo podría la Madre Teresa ser una seguidora leal de Cristo si dedicó su vida a rendirle culto a la Eucaristía?

En realidad no hay un término medio: O Jesús está presente en la Eucaristía, y por tanto todos los cristianos pueden y deben rezarle, o Jesús no está presente en la Eucaristía y ésta es simplemente pan, en cuyo caso rezarle a la Eucaristía sería una tonta forma de idolatría. Esta es una cuestión que solamente da lugar a una respuesta correcta. Jesús está o no está realmente presente en la Eucaristía. La evidencia histórica probó que el contenido de la fe de la Madre Teresa era el mismo del de los cristianos antiguos. Ellos confirmaron unánimemente que la Eucaristía era en verdad el Cuerpo y la Sangre de Cristo.

Llamando a Más a los Creyentes

Me di cuenta de que había un paralelo bíblico para mi situación de evangélico que creía parte de la fe apostólica, pero no toda. San Pablo conoció a alguien como yo cuando fue a Efeso y encontró un pequeño grupo de cristianos que eran fieles pero nunca habían oído nada del Espíritu Santo. Cuando escucharon al apóstol enseñar el

Evangelio, en toda su plenitud, lo aceptaron y se unieron a la Iglesia junto con los apóstoles (Hechos 19:1-7).

Yo había aceptado a Jesús como mi Señor y Salvador. Vivía según el lema, "Si Jesús no es Señor de *todo,* no es Señor *en lo absoluto*". Yo necesitaba seguirlo a dondequiera que El me llevara, y para mi sorpresa, me estaba llevando a la Iglesia Católica.

Jesús fundó la Iglesia a través de Su vida, de Sus enseñanzas, de Su muerte, y de Su resurrección. Mis amigos en el Campus Crusade for Christ / Crusada Universitaria por Cristo me habían enseñado la importancia de hacer a Jesús el Señor de mi vida. Esto tenía que incluir creer todo lo que El había enseñado. En efecto, las últimas palabras de nuestro Señor a Sus discípulos fueron pronunciadas momentos antes de ascender a los Cielos. El nos dio su Gran Encargo:

> "Me ha sido dada toda autoridad en el Cielo y en la Tierra. Vayan, pues, y hagan que todos los pueblos sean mis discípulos. Bautícenlos en el Nombre del Padre y del Hijo y del Espíritu Santo, y enséñenles a cumplir todo lo que yo les he encomendado a ustedes. Yo estoy con ustedes todos los días hasta el fin de la historia" (Mt 28:18-20, enfatizado)

Si Jesús en verdad es Señor de todo, entonces nos corresponde a nosotros Sus seguidores aceptar *todo* lo que El ha mandado. La verdadera Iglesia tiene que tener la presencia continua de Cristo y tiene que proclamar no sólo *la mayoría* de Sus enseñanzas, sino *todas* ellas. Esto incluye tales cosas como la realidad de los obispos, quienes son descendientes espirituales directos de los apóstoles, y de la verdadera presencia de Jesús en la Eucaristía.

Todos los cristianos están de acuerdo con que Jesús *dijo* que la Eucaristía era Su Cuerpo. Mateo, Marcos, Lucas, Juan, y Pablo, todos, confirman Sus Palabras; pero no todos los cristianos están de acuerdo acerca de lo que Jesús *quiso decir*. ¿Estaba hablando en sentido figurado o literalmente? El testimonio claro, preciso y unánime de los primeros cristianos (así como de todos los ortodoxos y católicos modernos) era que Sus Palabras no habían de ser tomadas literalmente. Y a través de los siglos nunca ha habido un momento en el que los santos no dieran testimonio de la verdad. En realidad, hay una presencia continua de los grandes santos, quienes amaron a Cristo con toda su vida y creyeron todo lo que El enseñó.

Hasta hoy, yo afirmo de todo corazón que somos justificados por la gracia de Dios sin mérito alguno de parte de nosotros – lo cual es precisamente lo que enseña la Iglesia Católica: "Puesto que la iniciativa en el orden de la gracia pertenece a Dios, *nadie puede merecer la gracia primera*, en el inicio de la conversión, del perdón y de la justificación" (*CCC*, 2010, énfasis en el original).

Del mismo modo, yo aún creo lo que me fue enseñado por mis maestros evangélicos – que la Biblia es la Palabra de Dios fidedigna e infalible. Creo esto porque es lo que la Iglesia Católica ha enseñado siempre:

La santa madre Iglesia, según la fe de los Apóstoles reconoce que todos los libros del Antiguo y del Nuevo Testamento, con todas sus partes, son sagrados y canónicos, en cuanto que, escritos por inspiración del Espíritu Santo, tienen a Dios como autor, y como tales han sido confiados a la Iglesia. (*CCC* 105)

Yo creo, al igual que mis amigos evangélicos, que somos llamados a evangelizar a todas las gentes – y esto es precisamente lo que los Papas católicos siempre han enseñado:

Queremos confirmar una vez más que la labor de evangelizar a todos los pueblos constituye la misión esencial de la Iglesia … En realidad, evangelizar es la gracia y la vocación propia de la Iglesia, su identidad más profunda. Ella existe para evangelizar.[14]

Pero además de estas verdades católicas que el Evangelismo preserva fielmente, ahora sé que somos llamados a creer que Jesús está presente en la Sagrada Eucaristía, a reconocer que María es nuestra Madre en la fe, y a aprender de las enseñanzas del sucesor de Pedro y de los otros apóstoles. Como evangélico aprendí mucho de lo que Cristo enseñó. Como católico lo he abrazado todo.

---

[14]Papa Pablo VI, *Evangelization in the Modern World / Evangelización en el Mundo Moderno*, 14

Reconocer que Cristo es Rey, significa nada menos que aceptar Su Reino – incluyendo a Su primer ministro, el Papa, y a Su reina madre, la Virgen María – y permitir que Su gracia sacramental transforme todos los aspectos de mi vida. Esta es la vida de un discípulo, dejar que Cristo reine en su vida.

El Evangelio del Reino

La fidelidad a Cristo significa ser un miembro leal de la Iglesia que Él fundó. Si aceptamos a Jesús como Señor y Rey, tenemos que aceptar y abrazar Su Reino. Sí, el Reino es una realidad mixta, con pecadores y santos. Tenemos que esforzarnos siempre para renovar el Reino, pero no somos libres para rechazar el Reino que Cristo fundó y continúa guiando. Seguir a Jesús significa abrazar la Iglesia Católica.

> El Padre quiso convocar a toda la humanidad en la Iglesia de su Hijo para reunir de nuevo a todos sus hijos que el pecado había dispersado y extraviado. La Iglesia es el lugar donde la humanidad debe volver a encontrar su unidad y su salvación. Ella es el "mundo reconciliado". Es, además, este barco que "con su velamen que es la cruz de Cristo, empujado por el Espíritu Santo, navega bien en este mundo". Según otra imagen estimada por los Padres de la Iglesia, está prefigurada por el Arca de Noé que es la única que salva del diluvio. (*CCC* 845)

El deber de un seguidor de Cristo Rey es extender Su Reino en la Tierra. Primero, El tiene que reinar en nuestro corazón y en nuestra mente, porque no podemos dar lo que no tenemos. Entonces, tenemos que extenderle Su Reino a los demás, compartiendo la buena nueva de Su verdad, Su misericordia, Su perdón, y Su amor a todos los que podamos.

Yo le estoy agradecido a Dios por el amor y el testimonio que mis amigos protestantes evangélicos compartieron conmigo. Espero que todo el mundo llegue a amar las Escrituras; pero para amarlas verdaderamente, necesitamos abrazar lo que la Biblia *significa* y estar unidos con el gran Reino que Cristo ha establecido. Así que espero y rezo por que todos abracen la verdadera Iglesia de la Biblia, y se conviertan en miembros de la Iglesia que el mismo Jesús fundó, la Iglesia Católica.

CURTIS MARTIN

Aunque adoptado por una familia católica y criado en un hogar lleno de fe, los años universitarios de Curtis Martin en la Lousiana State University / Universidad del Estado de Louisiana lo encontraron luchando con muchas de las preguntas que los jóvenes están haciendo hoy día; preguntas sobre la fe, el significado de la vida, y cómo descubrir el propósito en el mundo.

Un día, en su dormitorio, Martin tomó una Biblia y empezó a leer los Evangelios. En los meses siguientes, un grupo de misioneros del recinto universitario lo invitaron a formar parte de un estudio bíblico, jugar partidas de golf y, en última instancia, entrar en una relación con Jesucristo.

De esta experiencia nació la visión de Martin de FOCUS. Hoy día (2009), hay más de 250 misioneros de FOCUS en casi 50 recintos universitarios en todos los Estados Unidos.

Curtis es el Presidente y fundador de FOCUS y el autor de varios libros, incluyendo la serie "Catholic for a Reason" / Católico por una Razón junto con el Dr. Scott Hahn. El es también co-presentador del innovador programa *Crossing the Goal* / Cruzando la Meta. En el 2004, Curtis and Michaelann Martin recibieron la Medalla Benemerenti, de manos del Papa Juan Pablo II, por su extraordinario servicio a la Iglesia.

CLAVE DEABREVIATURAS BIBLICAS

Las siguientes abreviaturas se usan para los distintos versículos de las Escrituras citados en el libro. (Nota: *CCC / CIC = Catecismo de la Iglesia Católica*).

Antiguo Testamento

Gén	Génesis	Jdt	Judit	Dn	Daniel
Ex	Exodo	Est	Ester	Os	Oseas
Lev	Levítico	1 Mac	1ª Macabeos	Jl	Joel
Núm	Números	2 Mac	2ª Macabeos	Am	Amós
Deut	Deuteronomio	Jb	Job	Abd	Abdías
Jos	Josué	Sal	Salmos	Jon	Jonás
Jue	Jueces	Pro	Proverbios	Mi	Miqueas
Rt	Rut	Ec	Eclesiastés (Sirácides)	Na	Nahúm
1 Sam	1ª Samuel	Cant	Cantar de los	Hab	Habacuc
2 Sam	2ª Samuel		Cantares	Sof	Sofonías
1 Re	1ª Reyes	Sab	Sabiduría	Ag	Ageo
2 Re	2ª Reyes	Sir	Sirácides	Za	Zacarías
1 Crón	1 Crónicas	Is	Isaías	Mal	Malaquías
2 Crón	2 Crónicas	Jer	Jeremías		
Esd	Esdras	Lam	Lamentaciones		
Ne	Nehemías	Bar	Baruc		
Tob	Tobías	Ez	Ezequiel		

Nuevo Testamento

Mt	Mateo	Ef	Efesios	Stgo	Santiago
Mc	Marcos	Fil	Filipenses	1 Pe	1a Pedro
Lc	Lucas	Col	Colosenses	2 Pe	2a Pedro
Jn	Juan	1 Tes	1a Tesalonicenses	1 Jn	1a Juan
He	Hechos de los	2 Tes	2a Tesalonicenses	1 Jn	2a Juan
	Apóstoles	1 Tim	1a Timoteo	3 Jn	3a Juan
Rom	Romanos	2 Tim	2a Timoteo	Jud	Judas
1 Cor	1ª Corintios	Ti	Tito	Apoc	Apocalipsis
2 Cor	2ª Corintios	Flm	Filemón		
Gál	Gálatas	Heb	Hebreos		

THE
DYNAMIC CATHOLIC
INSTITUTE

[MISSION]

To re-energize the Catholic Church
in America by developing world-class
resources that inspire people to
rediscover the genius of Catholicism.

[VISION]

To be the innovative leader in the
New Evangelization helping Catholics
and their parishes become
the-best-version-of-themselves.

DynamicCatholic.com
Be Bold. Be Catholic.®

The Dynamic Catholic Institute
2200 Arbor Tech Drive
Hebron, KY 41048
Phone: 859-980-7900
info@DynamicCatholic.com